Einstern

Mathematik für Grundschulkinder

3

Themenheft 2

✶ Addition und Subtraktion
im Zahlenraum bis 1000

✶ Geometrie Teil 2 –
Flächen

Erarbeitet von Roland Bauer und Jutta Maurach

In Zusammenarbeit mit der
Cornelsen Redaktion Grundschule

Cornelsen

Einstern 3

Mathematik für Grundschulkinder
Themenheft 2

Addition und Subtraktion
im Zahlenraum bis 1 000

Geometrie Teil 2 –
Flächen

Erarbeitet von:	Roland Bauer, Jutta Maurach
Fachliche Beratung:	Prof'in Dr. Silvia Wessolowski
Fachliche Beratung exekutive Funktionen:	Dr. Sabine Kubesch, INSTITUT BILDUNG plus, im Auftrag des ZNL TransferZentrum für Neurowissenschaften und Lernen, Ulm
Redaktion:	Friederike Thomas, Peter Groß, Uwe Kugenbuch
Illustration:	Yo Rühmer
Umschlaggestaltung:	Cornelia Gründer, agentur corngreen, Leipzig
Layout und technische Umsetzung:	lernsatz.de

fex steht für *Förderung exekutiver Funktionen*. Hierbei werden neueste Erkenntnisse der kognitiven Neurowissenschaft zum spielerischen Training exekutiver Funktionen für die Praxis nutzbar gemacht. **fex** wurde vom **ZNL TransferZentrum für Neurowissenschaften und Lernen** (www.znl-ulm.de) an der Universität Ulm gemeinsam mit der **Wehrfritz GmbH** (www.wehrfritz.com) ins Leben gerufen. Der Cornelsen Verlag hat in Kooperation mit dem ZNL ein Konzept für die Förderung exekutiver Funktionen im Unterrichtswerk *Einstern* entwickelt.

Bildnachweis

51.1 Fotolia/©Becker #77247404 (Uhr)   **51.2** Fotolia/©hans12 #33485241 (Knopf)   **51.3** Shutterstock/Flipser (Brief)   **51.4** Shutterstock/canbedone (Postit)   **51.5** Fotolia/©Mannaggia #70126408 (Spielkarte)   **51.6** Shutterstock/Champ008 (CD)   **51.7** Fotolia/©claer #51727497 (Geodreieck)   **53.1** Ilja Grigorjewitsch Tschaschnik „Suprematische Komposition"/akg-images   **53.2** Wassily Kandinsky „Mit dem Dreieck"/bridgemanimages.com   **58.1** Fotolia/©redkoala #94155593   **58.2** Fotolia/©irmaiirma #82293647   **58.3** Fotolia/©pgmart #94639745

www.cornelsen.de

1. Auflage, 6. Druck 2022

Alle Drucke dieser Auflage sind inhaltlich unverändert
und können im Unterricht nebeneinander verwendet werden.

© 2016 Cornelsen Schulverlage GmbH, Berlin
© 2018 Cornelsen Verlag GmbH, Berlin

Druck: Parzeller print & media GmbH & Co. KG, Fulda

ISBN 978-3-06-081785-6
ISBN 978-3-06-084233-9 (E-Book: alle Themenhefte Einstern 3)

PEFC zertifiziert
Dieses Produkt stammt aus nachhaltig bewirtschafteten Wäldern und kontrollierten Quellen.
www.pefc.de

PEFC
PEFC/04-31-1308

Inhaltsverzeichnis

Flächenformen und Flächeninhalte

1 Rechne im Kopf.

a) 46 + 30 = ☐

53 + 40 = ☐

61 + 20 = ☐

35 + 50 = ☐

b) 59 − 40 = ☐

78 − 50 = ☐

43 − 30 = ☐

81 − 20 = ☐

Das kannst du schon.

2 Ergänze passende Zehnerzahlen. Finde jeweils zwei Möglichkeiten.

31 + 10 + 20 + 30 = 91

a) 31 + ☐ + ☐ + ☐ = 91

31 + ☐ + ☐ + ☐ = 91

b) 17 + ☐ + ☐ + ☐ + ☐ = 87

17 + ☐ + ☐ + ☐ + ☐ = 87

c) 82 − ☐ − ☐ − ☐ = 12

82 − ☐ − ☐ − ☐ = 12

d) 95 − ☐ − ☐ − ☐ − ☐ = 25

95 − ☐ − ☐ − ☐ − ☐ = 25

3 Rechne im Kopf.

a) 32 + 43 = ☐

21 + 27 = ☐

56 + 21 = ☐

44 + 51 = ☐

b) 68 − 34 = ☐

46 − 21 = ☐

55 − 33 = ☐

79 − 51 = ☐

c) 25 + 34 = ☐

19 + 11 = ☐

33 + 33 = ☐

47 + 21 = ☐

d) 88 − 44 = ☐

67 − 26 = ☐

95 − 53 = ☐

78 − 17 = ☐

4 Rechne mit deinem Rechenweg im Heft.

a) 68 + 27 = ☐

19 + 46 = ☐

25 + 59 = ☐

38 + 34 = ☐

b) 42 − 17 = ☐

84 − 58 = ☐

63 − 45 = ☐

35 − 26 = ☐

c) 56 + 37 = ☐

66 − 27 = ☐

29 + 49 = ☐

51 − 26 = ☐

d) 91 − 67 = ☐

17 + 45 = ☐

74 − 36 = ☐

42 + 39 = ☐

Seite 6 Aufgabe 4

a)　6 8 + 2 7 = …　　b)　…

5 Stelle mit den Zahlenkärtchen Plusaufgaben zusammen. Schreibe sie auf und löse sie. Kontrolliere selbst mithilfe der Umkehraufgabe.

Seite 6 Aufgabe 5

a)　3 7 + 5 4 = 9 1 , denn 9 1 − 5 4 = 3 7

…

★ lösen Plus- und Minusaufgaben im Zahlenraum bis 100 im Kopf
★ überprüfen Ergebnisse mithilfe der Umkehraufgabe

Ein Wurfspiel auswerten

1 Die Kinder haben ein Wurfspiel gemacht.

a) Berechne, wie viele Punkte jedes Kind erreicht hat.

	Max	Lea	Mai-Lin	Janek	Tim	Lena	Ole
1. Wurf	200	500	200	500	100	200	100
2. Wurf	200	100	200	–	500	100	100
3. Wurf	100	200	500	200	–	500	200
zusammen	500						

b) In der zweiten Runde haben die Kinder nicht alle Wurfergebnisse notiert.
Berechne und schreibe die fehlenden Punktzahlen auf.

	Max	Lea	Mai-Lin	Janek	Tim	Lena	Ole
1. Wurf	200			200	100		–
2. Wurf	200	500	500			200	500
3. Wurf	500	100	–	500	200		
zusammen	900	800	600	700	400	500	1 000

2 Welche Würfe könnten die Kinder ausgeführt haben? Schreibe auf.

a) Mai-Lin hat mit zwei Würfen 600 Punkte erzielt.

$600 = 500 + 100$ oder $600 = 100 + 500$

b) Janek hat mit drei Würfen 900 Punkte erreicht.

c) Max hatte drei gleiche Würfe und zusammen mehr als 500 Punkte.

* erkennen den Zusammenhang zwischen einer Sachsituation und einer tabellarischen Ergebnisdokumentation
* erschließen sich und berechnen aus Tabellen Daten, die nicht direkt ablesbar sind
* variieren die Aufgabenstellung und entwickeln eigene Fragestellungen

 1 Suche dir ein anderes Kind. Legt Plusaufgaben mit Hunderterzahlen.

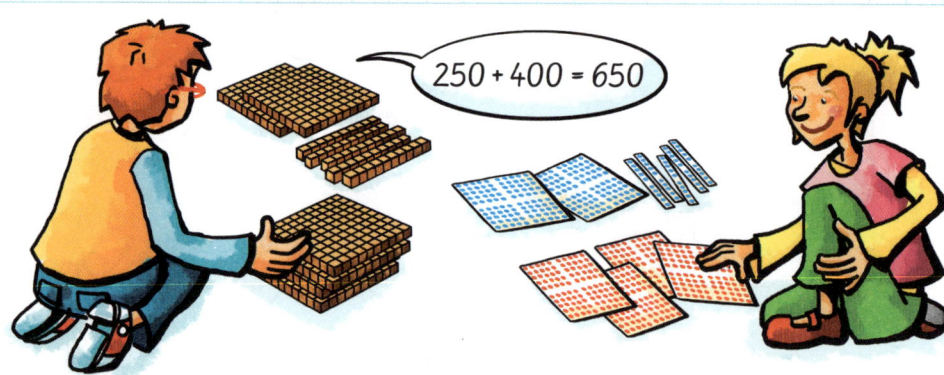

250 + 400 = 650

2 Schreibe zu den Bildern Plusaufgaben.

a) ▢▢▢▢▢ ▢
200 + 400 = 600

b) ▢▢▢▢▢ ▢▢▢

c) ▢▢▢▢▢ ▢▢

d) ▢▢▢▢▢ ▢▢▢▢▢

3 Löse die Aufgaben. Du kannst als Hilfe die Aufgaben legen oder zeichnen.

a) 500 + 500 =

200 + 500 =

400 + 300 =

b) 600 + ___ = 900

300 + ___ = 800

400 + ___ = 700

c) ___ + 300 = 700

___ + 400 = 900

___ + 200 = 800

4 Schreibe zu den Bildern Plusaufgaben.

a) ▢▢▢‖▢▢
320 + 200 = 520

b) ▢▢▢▢‖‖‖▢▢▢

c) ▢▢‖‖‖‖....▢▢▢▢▢

d) ▢▢▢▢▢‖..▢▢▢▢

5 Löse die Aufgaben. Du kannst als Hilfe die Aufgaben legen.

a) 210 + 300 =

160 + 600 =

630 + 300 =

b) 421 + 300 =

212 + 400 =

543 + 200 =

c) 500 + 347 =

300 + 591 =

600 + 183 =

d) Überlege dir selbst jeweils zwei passende Aufgaben zu a), b) und c).

___ + ___ = ___   ___ + ___ = ___   ___ + ___ = ___

___ + ___ = ___   ___ + ___ = ___   ___ + ___ = ___

★ nutzen planvoll und systematisch die Struktur des Zehnersystems und begründen Beziehungen zwischen verschiedenen Zahldarstellungen
★ übertragen eine Darstellung in eine andere

Minusaufgaben mit Hundertern legen, zeichnen und lösen

1 Suche dir ein anderes Kind. Legt Minusaufgaben mit Hunderterzahlen.

$540 - 200 = 340$

2 Schreibe zu den Bildern Minusaufgaben.

a) $700 - 400 = 300$

b)

c)

d)

3 Löse die Aufgaben. Du kannst als Hilfe die Aufgaben legen oder zeichnen.

a) $800 - 300 =$ ⬚

$700 - 400 =$ ⬚

$600 - 200 =$ ⬚

b) $900 - ⬚ = 700$

$800 - ⬚ = 700$

$700 - ⬚ = 100$

c) ⬚ $- 300 = 400$

⬚ $- 500 = 200$

⬚ $- 200 = 800$

4 Schreibe zu den Bildern Minusaufgaben.

a) $740 - 400 = 340$

b)

c)

d)

5 Löse die Aufgaben. Du kannst als Hilfe die Aufgaben legen.

a) $430 - 200 =$ ⬚

$870 - 500 =$ ⬚

$910 - 400 =$ ⬚

b) $563 - 300 =$ ⬚

$642 - 400 =$ ⬚

$885 - 600 =$ ⬚

c) $782 - ⬚ = 482$

$416 - ⬚ = 216$

$546 - ⬚ = 46$

d) Überlege dir selbst jeweils zwei passende Aufgaben zu a), b) und c).

⬚ $-$ ⬚ $=$ ⬚   ⬚ $-$ ⬚ $=$ ⬚   ⬚ $-$ ⬚ $=$ ⬚

⬚ $-$ ⬚ $=$ ⬚   ⬚ $-$ ⬚ $=$ ⬚   ⬚ $-$ ⬚ $=$ ⬚

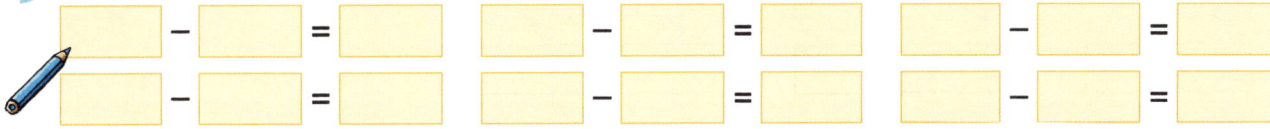

★ nutzen planvoll und systematisch die Struktur des Zehnersystems und begründen Beziehungen zwischen verschiedenen Zahldarstellungen
★ übertragen eine Darstellung in eine andere

1 Löse die Aufgaben. Du kannst auch zuerst legen oder zeichnen.
Überlege dir selbst jeweils zwei passende Aufgaben.

a)
158 + 200 = **358**
436 + 500 = ☐
285 + 600 = ☐
☐ + ☐ = ☐
☐ + ☐ = ☐

b)
425 + ☐ = 825
192 + ☐ = 792
205 + ☐ = 705
☐ + ☐ = ☐
☐ + ☐ = ☐

c)
☐ + 223 = 623
☐ + 432 = 732
☐ + 576 = 876
☐ + ☐ = ☐
☐ + ☐ = ☐

d)
856 − 400 = ☐
543 − 200 = ☐
921 − 700 = ☐
☐ − ☐ = ☐
☐ − ☐ = ☐

e)
605 − ☐ = 105
423 − ☐ = 223
795 − ☐ = 495
☐ − ☐ = ☐
☐ − ☐ = ☐

f)
☐ − 300 = 425
☐ − 700 = 147
☐ − 800 = 59
☐ − ☐ = ☐
☐ − ☐ = ☐

2 Fülle die Rechentabellen aus.

a)

+	100	300	500	200
187	287			
456				
308				

b)

−	100	700	500	600
782				
924				
835				

3 Finde die sechs Aufgaben mit falschen Ergebnissen. Korrigiere sie.

a)
560 + 200 = 760 ✓
340 + 300 = ~~370~~ 640
290 + 500 = 790 _____
460 + 400 = 500 _____

b)
560 − 300 = 530 _____
720 − 500 = 220 _____
430 − 200 = 230 _____
970 − 700 = 900 _____

c)
230 + 400 = 630 _____
720 − 200 = 520 _____
110 + 600 = 170 _____
780 − 500 = 730 _____

d) Besprich mit einem anderen Kind, was falsch gemacht wurde.
Du findest bei a), b) und c) jeweils gleiche Fehler.

| 6 + 4 − 3 | 3 + 4 − 5 + 4 | 3 + 6 − 4 + 3 − 5 |

 6 7 3

★ lösen Plus- und Minusaufgaben mit Hundertern
★ überprüfen Ergebnisse, finden, korrigieren und erklären Rechenfehler

1 Löse die Aufgabenreihen und setze sie fort.

a) 137 + 800 = 937   b) 982 − 200 = ☐   c) 147 + 800 = ☐

   137 + 700 = ☐   882 − 200 = ☐   247 + 700 = ☐

   137 + 600 = ☐   782 − 200 = ☐   347 + 600 = ☐

   ☐ + ☐ = ☐   ☐ − ☐ = ☐   ☐ + ☐ = ☐

   ☐ + ☐ = ☐   ☐ − ☐ = ☐   ☐ + ☐ = ☐

   ☐ + ☐ = ☐   ☐ − ☐ = ☐   ☐ + ☐ = ☐

   ☐ + ☐ = ☐   ☐ − ☐ = ☐   ☐ + ☐ = ☐

   ☐ + ☐ = ☐   ☐ − ☐ = ☐   ☐ + ☐ = ☐

2 Fülle die Rechenketten vollständig aus.

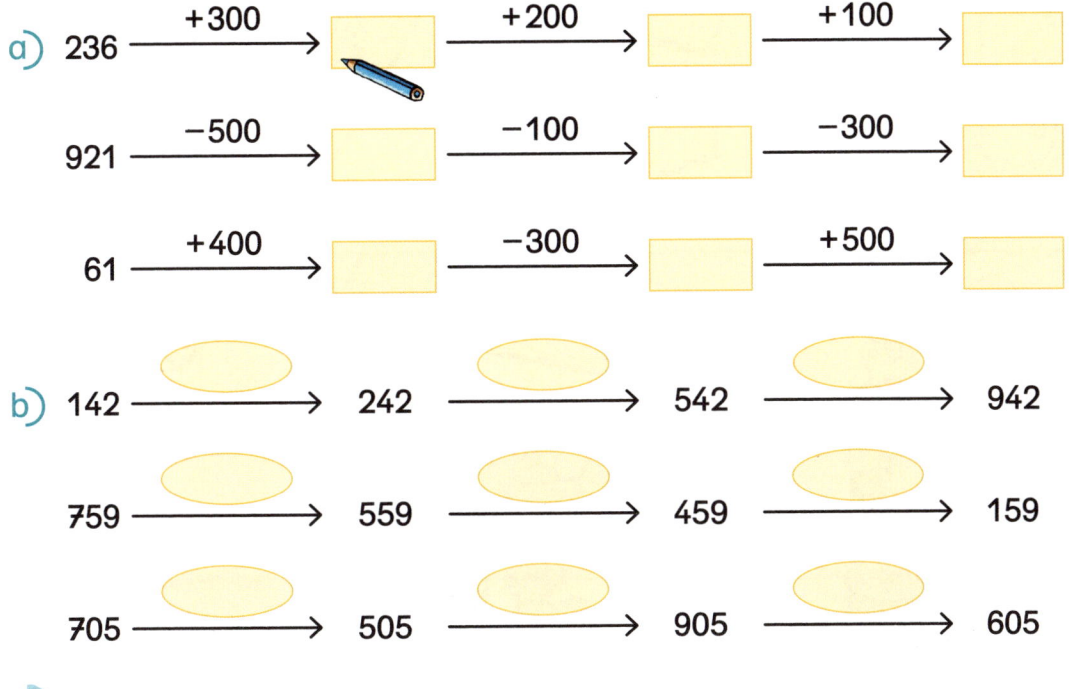

a) 236 —+300→ ☐ —+200→ ☐ —+100→ ☐

   921 —−500→ ☐ —−100→ ☐ —−300→ ☐

   61 —+400→ ☐ —−300→ ☐ —+500→ ☐

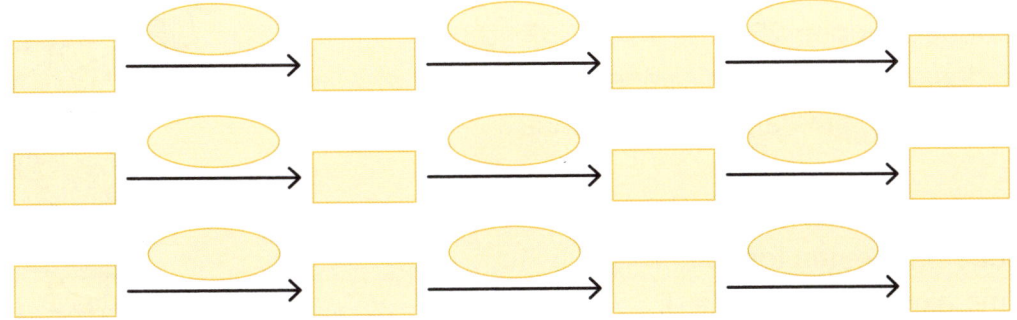

b) 142 ——→ 242 ——→ 542 ——→ 942

   759 ——→ 559 ——→ 459 ——→ 159

   705 ——→ 505 ——→ 905 ——→ 605

c) Finde selbst Rechenketten.

☐ ——→ ☐ ——→ ☐ ——→ ☐

☐ ——→ ☐ ——→ ☐ ——→ ☐

☐ ——→ ☐ ——→ ☐ ——→ ☐

Die Kinder lösen die Aufgaben 235 + 320 und 357 − 230 auf verschiedene Weise:

- 235 + 320 =
- 235 + 300 + 20 = 555

- 235 + 320
- 357 − 230

- 357 − 230 = 127
- 357 − 200 = 157
- 157 − 30 = 127

Jeder kann es anders machen.

1 Löse die beiden Aufgaben 235 + 320 und 357 − 230.
Probiere mindestens drei verschiedene
Hilfsmittel aus, die du bei den Kindern siehst.

2 Entscheide, mit welchen Hilfsmitteln
du die Aufgabe am besten lösen kannst.
Vergleiche mit einem anderen Kind.

★ lösen Plus- und Minusaufgaben im Zahlenraum bis 1000
★ vergleichen und bewerten verschiedene Lösungswege
und Hilfsmittel sowie deren Darstellung

 1 Suche dir ein anderes Kind. Legt Plusaufgaben mit Hundertern und Zehnern.

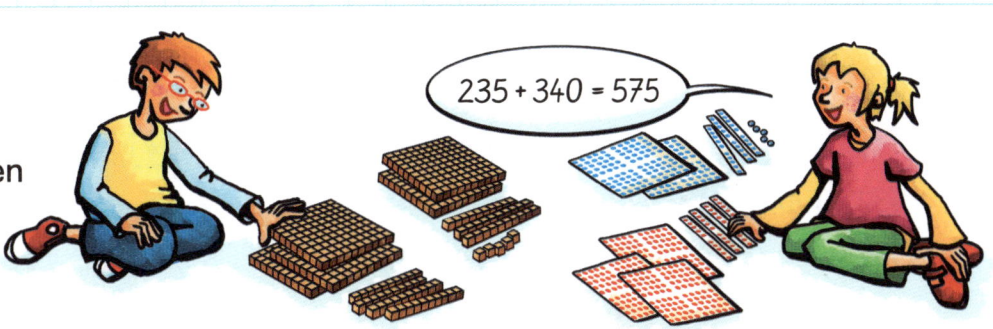

235 + 340 = 575

2 Schreibe zu jedem Bild zwei Plusaufgaben mit den Rechenschritten. Löse sie.

a)

340 + 400 + 20 = 760
340 + 20 + 400 = 760

b)

c)

d)

3 Schreibe deine Rechenschritte auf. Löse die Plusaufgaben.
Du kannst als Hilfe die Aufgaben legen oder zeichnen.

a) 340 + 220 = ☐

b) 720 + 250 = ☐

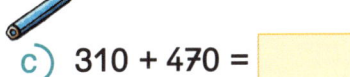

c) 310 + 470 = ☐

d) 540 + 340 = ☐

e) 620 + 240 = ☐

f) 810 + 180 = ☐

g) ☐ + ☐ = ☐

h) ☐ + ☐ = ☐

4 Ergänze die Zahlenmauern. Rechne in zwei Schritten im Kopf.

a)

| 120 | 230 | 110 |

b)

| 220 | 130 | 310 |

c)

| 410 | 130 | 210 |

* nutzen planvoll und systematisch die Struktur des Zehnersystems und begründen Beziehungen zwischen verschiedenen Zahldarstellungen
* übertragen eine Darstellung in eine andere

1 Schreibe zu jedem Bild zwei Plusaufgaben mit den Rechenschritten. Löse sie.

a)

432 + 300 + 40 = 772

432 + 40 + 300 = 772

b)

c)

d)

2 Schreibe deine Rechenschritte auf. Löse die Plusaufgaben.
Du kannst als Hilfe die Aufgaben legen oder zeichnen.

a) 367 + 210 = ☐

b) 578 + 320 = ☐

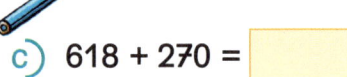

c) 618 + 270 = ☐

d) 235 + 650 = ☐

e) 156 + 640 = ☐

f) 328 + 450 = ☐

g) 137 + 340 = ☐

h) 633 + 250 = ☐

i) ☐ + ☐ = ☐

k) ☐ + ☐ = ☐

3 Rechne in zwei Schritten im Kopf. Löse die Plusaufgaben.

a) 428 + 340 = ☐

217 + 670 = ☐

353 + 530 = ☐

421 + 460 = ☐

b) 231 + ☐ = 681

458 + ☐ = 678

342 + ☐ = 562

613 + ☐ = 953

c) 420 + 267 = ☐

550 + 349 = ☐

340 + 222 = ☐

130 + 453 = ☐

★ nutzen planvoll und systematisch die Struktur des Zehnersystems und
begründen Beziehungen zwischen verschiedenen Zahldarstellungen
★ übertragen eine Darstellung in eine andere

Plusaufgaben mithilfe verwandter Aufgaben lösen (1)

1 Löse die Aufgaben. Schreibe das Ergebnis auf.

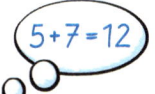
5 + 7 = 12

a) 8 + 9 = ☐   6 + 8 = ☐

b) 50 + 70 = ☐   60 + 60 = ☐

7 + 6 = ☐   5 + 7 = ☐

80 + 60 = ☐   90 + 80 = ☐

9 + 5 = ☐   8 + 4 = ☐

40 + 90 = ☐   70 + 50 = ☐

2 Bilde Reihen mit verwandten Aufgaben. Schreibe sie in dein Heft.

Das kannst du schon.

a) 7 + 4 = ☐   b) 8 + 5 = ☐

70 + 40 = ☐   80 + 50 = ☐

170 + 40 = ☐   180 + 50 = ☐

⋮   ⋮

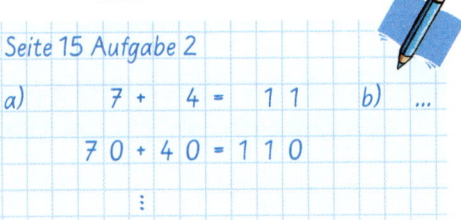
Seite 15 Aufgabe 2

a)   7 +   4 =   1 1   b) ...

70 + 40 = 1 1 0

⋮

3 Löse verwandte Aufgaben.

a) 8 + 4 = **12**

80 + 40 = **120**

680 + 40 = ☐

b) 7 + 5 = ☐

70 + 50 = ☐

470 + 50 = ☐

c) 9 + 6 = ☐

90 + 60 = ☐

690 + 60 = ☐

d) 8 + 6 = ☐

80 + 60 = ☐

580 + 60 = ☐

e) 3 + 8 = ☐

30 + 80 = ☐

830 + 80 = ☐

f) 5 + 9 = ☐

50 + 90 = ☐

350 + 90 = ☐

4 Löse die verwandten Aufgaben. Trage die Ergebnisse ein.

a)

+ 50	
60	110
360	410
80	
480	
90	
590	
70	
670	

b)

+ 60	
70	
570	
50	
650	
80	
780	
60	
460	

c)

+ 70	
50	
350	
90	
690	
60	
860	
40	
540	

d)

+ 80	

$477 + 80 = \square$

Mai-Lin:
70 + 80 = $\square$
470 + 80 = $\square$
477 + 80 = $\square$

Ole:
70 + 80 = $\square$
77 + 80 = $\square$
477 + 80 = $\square$

1 Ole und Mai-Lin bilden die verwandten Aufgaben auf verschiedene Weise.
Besprich mit einem anderen Kind, wie Ole und Mai-Lin vorgegangen sind.
Wie rechnest du die Aufgabe 477 + 80?

2 Finde und löse zuerst zwei einfache Aufgaben.
Entscheide, ob du den Weg von Mai-Lin oder Ole wählst.

a)
$\square$ + $\square$ = $\square$
$\square$ + $\square$ = $\square$
567 + 70 = $\square$

b)
$\square$ + $\square$ = $\square$
$\square$ + $\square$ = $\square$
873 + 50 = $\square$

c)
$\square$ + $\square$ = $\square$
$\square$ + $\square$ = $\square$
354 + 80 = $\square$

d)
$\square$ + $\square$ = $\square$
$\square$ + $\square$ = $\square$
238 + 90 = $\square$

e)
$\square$ + $\square$ = $\square$
$\square$ + $\square$ = $\square$
685 + 60 = $\square$

f)
$\square$ + $\square$ = $\square$
$\square$ + $\square$ = $\square$
491 + 40 = $\square$

3 Rechne und bilde selbst solche Aufgabenpaare.

a)
450 + 80 = 530
480 + 50 = $\square$

560 + 70 = $\square$
570 + 60 = $\square$

780 + 40 = $\square$
740 + 80 = $\square$

b)
380 + 70 = $\square$
$\square$ + $\square$ = $\square$

590 + 70 = $\square$
$\square$ + $\square$ = $\square$

860 + 80 = $\square$
$\square$ + $\square$ = $\square$

c)
$\square$ + $\square$ = $\square$
$\square$ + $\square$ = $\square$

$\square$ + $\square$ = $\square$
$\square$ + $\square$ = $\square$

$\square$ + $\square$ = $\square$
$\square$ + $\square$ = $\square$

d) Überlege, warum die Aufgabenpaare immer das gleiche Ergebnis haben.

8 − 6 + 5   6 − 4 + 6 − 3   7 − 5 + 2 − 3 + 8

 9   7 5

* übertragen ihre Kenntnisse des Einspluseins bis 100 auf den Zahlenraum bis 1 000
* nutzen und vergleichen unterschiedliche Rechenwege

→ Ü Seiten 12 und 13

Plusaufgaben am Rechenstrich in zwei Schritten lösen

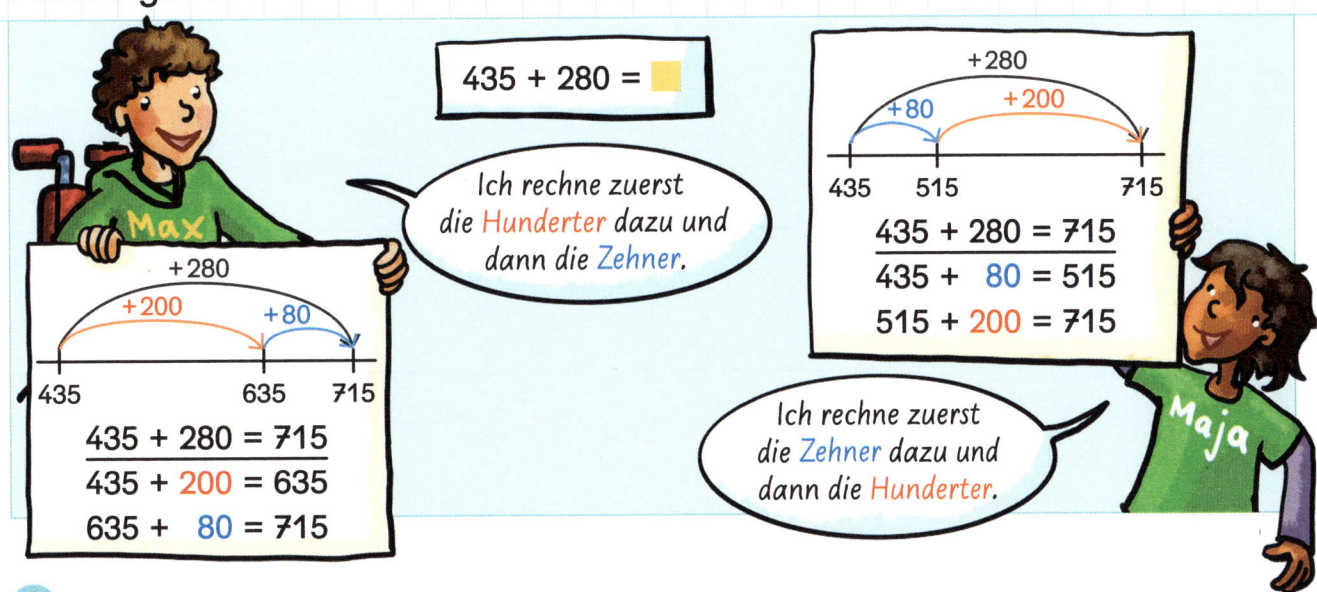

$$435 + 280 = \boxed{}$$

Ich rechne zuerst die Hunderter dazu und dann die Zehner.

Ich rechne zuerst die Zehner dazu und dann die Hunderter.

Max:

$$435 + 280 = 715$$
$$435 + 200 = 635$$
$$635 + \ 80 = 715$$

Maja:

$$435 + 280 = 715$$
$$435 + \ 80 = 515$$
$$515 + 200 = 715$$

1 Überlege, ob du die Aufgabe 435 + 280 wie Max oder wie Maja rechnen würdest.

2 Lies die Aufgaben am Rechenstrich ab. Schreibe die Rechenschritte auf.

a) +540, +500, +40 — 387, 887, 927

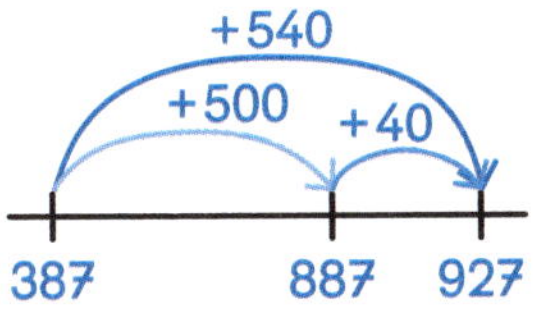

$$387 + 540 = \boxed{}$$
$$387 + 500 = 887$$
$$887 + \ 40 = 927$$

b) +270, +200, +70 — 563, 763, 833

$$\boxed{} + \boxed{} = \boxed{}$$
$$\boxed{} + \boxed{} = \boxed{}$$
$$\boxed{} + \boxed{} = \boxed{}$$

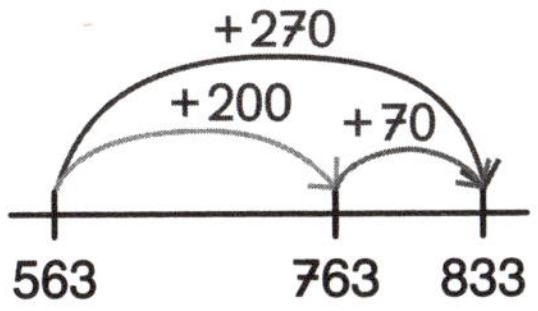

c) +320, +20, +300 — 491, 511, 811

$$\boxed{} + \boxed{} = \boxed{}$$
$$\boxed{} + \boxed{} = \boxed{}$$
$$\boxed{} + \boxed{} = \boxed{}$$

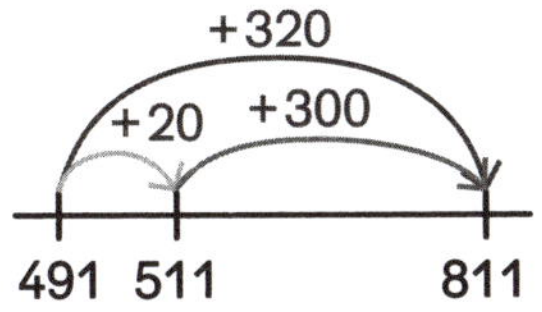

d) +170, +70, +100 — 668, 738, 838

$$\boxed{} + \boxed{} = \boxed{}$$
$$\boxed{} + \boxed{} = \boxed{}$$
$$\boxed{} + \boxed{} = \boxed{}$$

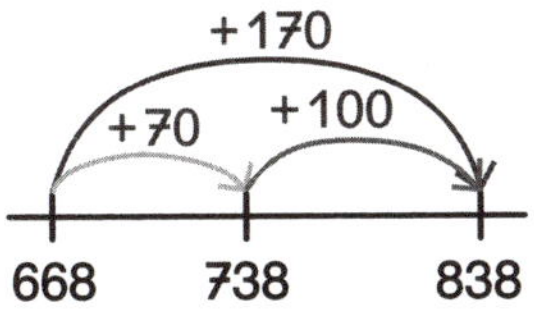

e) +280, +200, +80 — 327, 527, 607

$$\boxed{} + \boxed{} = \boxed{}$$
$$\boxed{} + \boxed{} = \boxed{}$$
$$\boxed{} + \boxed{} = \boxed{}$$

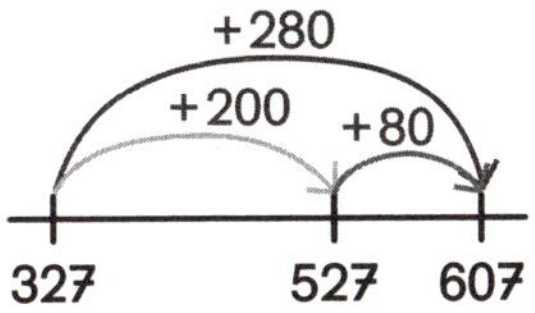

f) +550, +50, +500 — 372, 422, 922

$$\boxed{} + \boxed{} = \boxed{}$$
$$\boxed{} + \boxed{} = \boxed{}$$
$$\boxed{} + \boxed{} = \boxed{}$$

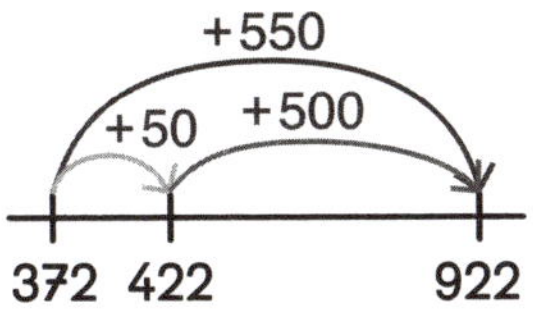

g) +360, +300, +60 — 484, 784, 844

$$\boxed{} + \boxed{} = \boxed{}$$
$$\boxed{} + \boxed{} = \boxed{}$$
$$\boxed{} + \boxed{} = \boxed{}$$

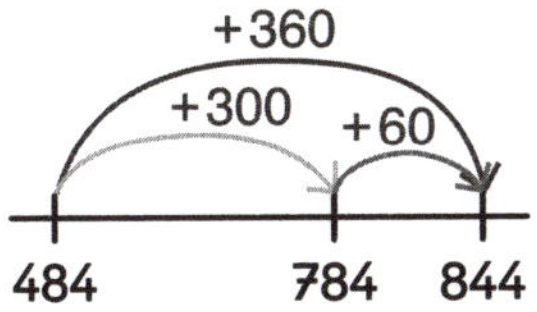

h) +430, +30, +400 — 285, 315, 715

$$\boxed{} + \boxed{} = \boxed{}$$
$$\boxed{} + \boxed{} = \boxed{}$$
$$\boxed{} + \boxed{} = \boxed{}$$

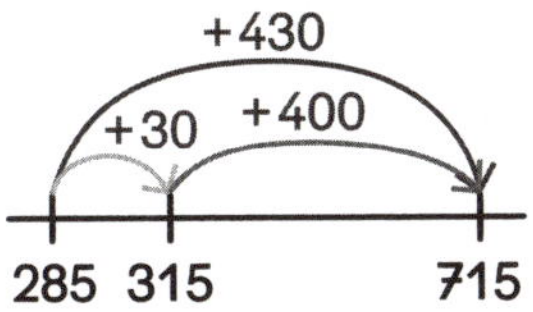

i) +170, +100, +70 — 756, 856, 926

$$\boxed{} + \boxed{} = \boxed{}$$
$$\boxed{} + \boxed{} = \boxed{}$$
$$\boxed{} + \boxed{} = \boxed{}$$

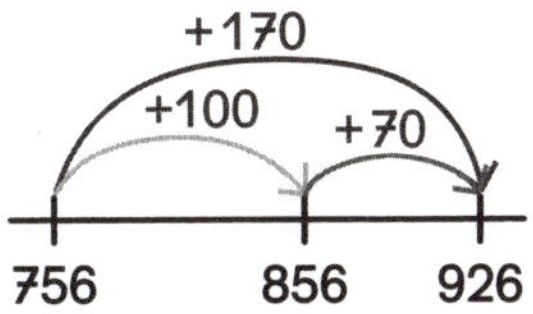

★ stellen ihre Rechenwege nachvollziehbar dar
★ übertragen eine Darstellung in eine andere

Plusaufgaben mit dem eigenen Rechenweg in zwei Schritten lösen

1 Löse die Aufgaben. Notiere deine Rechenschritte.

a) am Rechenstrich

647 + 170 = ▢

$\xleftarrow{\hspace{6cm}}$
647

596 + 230 = ▢

$\xleftarrow{\hspace{6cm}}$
596

358 + 570 = ▢

$\xleftarrow{\hspace{6cm}}$
358

b) als Rechnung

376 + 260 = ▢	485 + 350 = ▢	597 + 250 = ▢
376 + ▢ = ▢	485 + ▢ = ▢	597 + ▢ = ▢
▢ + ▢ = ▢	▢ + ▢ = ▢	▢ + ▢ = ▢

2 Rechne mit deinem Rechenweg. Zeichne oder schreibe ihn auf.

a) 652 + 280 = ▢ **b)** 351 + 490 = ▢

c) 276 + 360 = ▢ **d)** 567 + 250 = ▢

e) 186 + 470 = ▢ **f)** 351 + 570 = ▢

g) 775 + 190 = ▢ **h)** 289 + 650 = ▢

i) Notiere deinen Rechenweg im Lerntagebuch.

Seite 18 Aufgabe 2

a) ...

3 Löse zunächst nur die erste Aufgabe. Bestimme, ohne zu rechnen, die Ergebnisse der nächsten zwei Aufgaben. Setze die Reihen fort.

a) 467 + 280 = ▢
467 + 270 = ▢
487 + 260 = ▢
⋮

b) 334 + 280 = ▢
354 + 260 = ▢
374 + 240 = ▢
⋮

c) 583 + 350 = ▢
483 + 450 = ▢
383 + 550 = ▢
⋮

d) 792 + 180 = ▢
682 + 290 = ▢
572 + 400 = ▢
⋮

Seite 18 Aufgabe 3

a) 4 6 7 + 2 8 0 = 7 4 7   b) ...

*   4 7 7 + 2 7 0 = ...*

*   4 8 7 + 2 6 0 = ...*

*   ⋮*

e) Begründe, warum du die Reihen, ohne zu rechnen, fortsetzen konntest. Besprich die Erklärung mit einem anderen Kind.

✴ entwickeln vorteilhafte Lösungsstrategien
✴ erklären, vergleichen und bewerten Rechenwege und begründen ihre Ergebnisse
✴ beschreiben arithmetische Muster und deren Gesetzmäßigkeit

→ Ü Seite 14

Plusaufgaben üben

1 Ergänze die Zahlenmauern. Rechne in zwei Schritten im Kopf.

a)

| 196 | 240 | 280 |

b)

| 70 | 290 | 335 |

c)

| 260 | 170 | 287 |

2 Löse die Zahlenrätsel.

Patrick: *Meine Zahl erhältst du, wenn du zu 257 zuerst 400 und dann 80 dazurechnest.*

Lena: *Du erhältst meine Zahl, wenn du zu 338 erst 600 dazurechnest und dann 10 abziehst.*

3 Schreibe selbst ein Zahlenrätsel für ein anderes Kind.

4 Berechne die Kaufpreise.

a) Familie Bauer kauft einen Tisch und vier Stühle.

290 € + 170 € +

Angebot! Hocker 60 € — 290 € — 370 € — 480 € — Stuhl nur 170 € — 250 €

b) Lisa bekommt ein Bett und einen Schrank.

c) Herr Maier kauft zwei Sessel und einen Tisch.

d) Finde selbst weitere Beispiele. Schreibe sie in dein Heft und rechne.

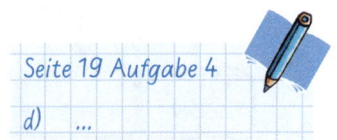

Seite 19 Aufgabe 4

d) ...

★ wenden ihre Kenntnisse zur Addition an
★ lösen und erfinden Zahlenrätsel
★ finden mathematische Lösungen zu Sachsituationen

19

1 Suche dir ein anderes Kind. Legt Minusaufgaben mit Hundertern und Zehnern.

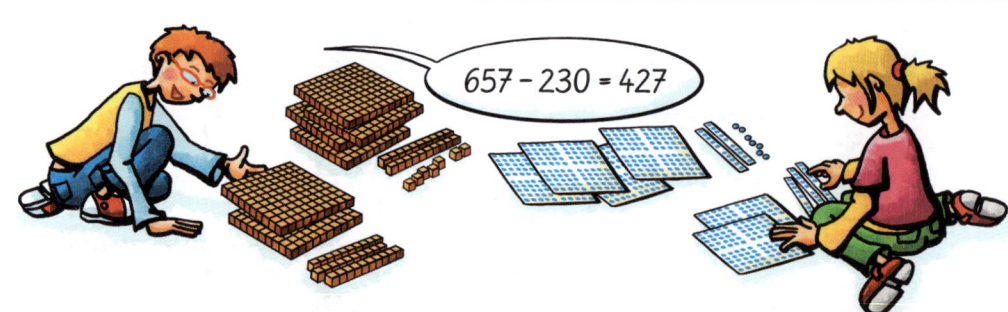

657 − 230 = 427

2 Schreibe zu jedem Bild zwei Minusaufgaben mit den Rechenschritten. Löse sie.

a) ☐☐☐▨▨ ▨||||| ⊬⊬

690 − 300 − 50 = 340

690 − 50 − 300 = 340

b) ☐▨▨▨▨|||| ⊬⊬

_____

c) ☐☐☐▨▨ ▨▨▨▨||||| ⊬⊬

_____

_____

d) ☐☐☐▨▨ ▨▨|⊬⊬

_____

_____

3 Schreibe deine Rechenschritte auf. Löse die Minusaufgaben.
Du kannst als Hilfe die Aufgaben legen oder zeichnen.

a) 570 − 340 = ☐

_____

c) 640 − 320 = ☐

_____

e) 770 − 430 = ☐

_____

g) ☐ − ☐ = ☐

_____

b) 380 − 270 = ☐

_____

d) 960 − 430 = ☐

_____

f) 480 − 360 = ☐

_____

h) ☐ − ☐ = ☐

_____

4 Ergänze die Zahlenmauern. Rechne in zwei Schritten im Kopf.

a)

	999	
450		
230		

b)

	888	
	320	
		110

c)

	777	
	230	

* nutzen planvoll und systematisch die Struktur des Zehnersystems und begründen Beziehungen zwischen verschiedenen Zahldarstellungen
* übertragen eine Darstellung in eine andere

1 Schreibe zu jedem Bild zwei Minusaufgaben mit den Rechenschritten. Löse sie.

a) □□□□◻⃥◻⃥ ◻⃥||||| #...
  673 − 300 − 20 = 353
  673 − 20 − 300 = 353

b) □□□◻⃥◻⃥ ◻⃥|||# #......

c) □□□◻⃥◻⃥ ◻⃥◻⃥◻⃥||||# #...... .

d) □□□□□ ◻⃥◻⃥◻⃥#...

2 Schreibe deine Rechenschritte auf. Löse die Minusaufgaben.
Du kannst als Hilfe die Aufgaben legen oder zeichnen.

a) 780 − 530 = ☐

b) 480 − 210 = ☐

c) 637 − 320 = ☐

d) 591 − 170 = ☐

e) 856 − 430 = ☐

f) 976 − 340 = ☐

g) 358 − 230 = ☐

h) 296 − 250 = ☐

i) ☐ − ☐ = ☐

k) ☐ − ☐ = ☐

3 Rechne in zwei Schritten im Kopf. Löse die Minusaufgaben.

a) 687 − 420 = ☐
   485 − ☐ = 155
   552 − 230 = ☐
   743 − ☐ = 513

b) 732 − 220 = ☐
   674 − 450 = ☐
   512 − 310 = ☐
   984 − 360 = ☐

c) 883 − ☐ = 263
   557 − ☐ = 347
   995 − ☐ = 545
   771 − ☐ = 301

* nutzen planvoll und systematisch die Struktur des Zehnersystems und
begründen Beziehungen zwischen verschiedenen Zahldarstellungen
* übertragen eine Darstellung in eine andere

Minusaufgaben mithilfe verwandter Aufgaben lösen (1)

1 Löse die Aufgaben. Schreibe das Ergebnis auf.

$12 - 5 = 7$

a) $13 - 8 = \boxed{}$ $13 - 6 = \boxed{}$

b) $120 - 50 = \boxed{}$ $140 - 90 = \boxed{}$

$11 - 5 = \boxed{}$ $15 - 7 = \boxed{}$

$150 - 80 = \boxed{}$ $160 - 70 = \boxed{}$

$14 - 9 = \boxed{}$ $12 - 4 = \boxed{}$

$110 - 30 = \boxed{}$ $130 - 60 = \boxed{}$

Das kannst du schon.

2 Bilde Reihen mit verwandten Aufgaben.
Schreibe sie in dein Heft.

a) $14 - 5 = \blacksquare$ b) $13 - 6 = \blacksquare$

$140 - 50 = \blacksquare$ $130 - 60 = \blacksquare$

$240 - 50 = \blacksquare$ $230 - 60 = \blacksquare$

$\vdots$ $\vdots$

Seite 22 Aufgabe 2

a) $14 - 5 = 9$ b) ...

$140 - 50 = 90$

$\vdots$

3 Löse verwandte Aufgaben.

a) $12 - 5 = \boxed{7}$

$120 - 50 = \boxed{70}$

$820 - 50 = \boxed{}$

b) $15 - 8 = \boxed{}$

$150 - 80 = \boxed{}$

$650 - 80 = \boxed{}$

c) $11 - 3 = \boxed{}$

$110 - 30 = \boxed{}$

$910 - 30 = \boxed{}$

d) $13 - 7 = \boxed{}$

$130 - 70 = \boxed{}$

$730 - 70 = \boxed{}$

e) $16 - 9 = \boxed{}$

$160 - 90 = \boxed{}$

$460 - 90 = \boxed{}$

f) $14 - 6 = \boxed{}$

$140 - 60 = \boxed{}$

$540 - 60 = \boxed{}$

4 Löse die verwandten Aufgaben. Trage die Ergebnisse ein.

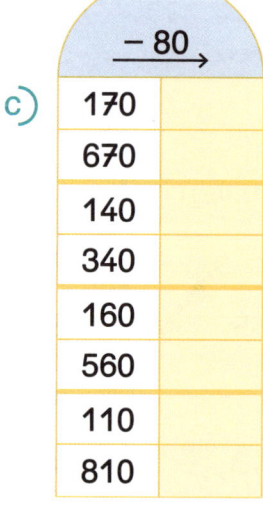

a) **− 50**

120	70
520	470
140	
640	
100	
700	
130	
830	

b) **− 70**

130	
630	
150	
850	
110	
510	
140	
940	

c) **− 80**

170	
670	
140	
340	
160	
560	
110	
810	

d) **− 60**

★ übertragen ihre Kenntnisse des Einspluseins bis 100 auf den Zahlenraum bis 1000

Minusaufgaben mithilfe verwandter Aufgaben lösen (2)

744 − 80 = ☐

140 − 80 = ☐
144 − 80 = ☐
744 − 80 = ☐

140 − 80 = ☐
740 − 80 = ☐
744 − 80 = ☐

 1 Ole und Lisa bilden die verwandten Aufgaben auf verschiedene Weise.
Besprich mit einem anderen Kind, wie Ole und Lisa vorgegangen sind.
Wie rechnest du die Aufgabe 744 − 80?

2 Finde und löse zuerst zwei einfache Aufgaben.
Entscheide, ob du den Weg von Ole oder Lisa wählst.

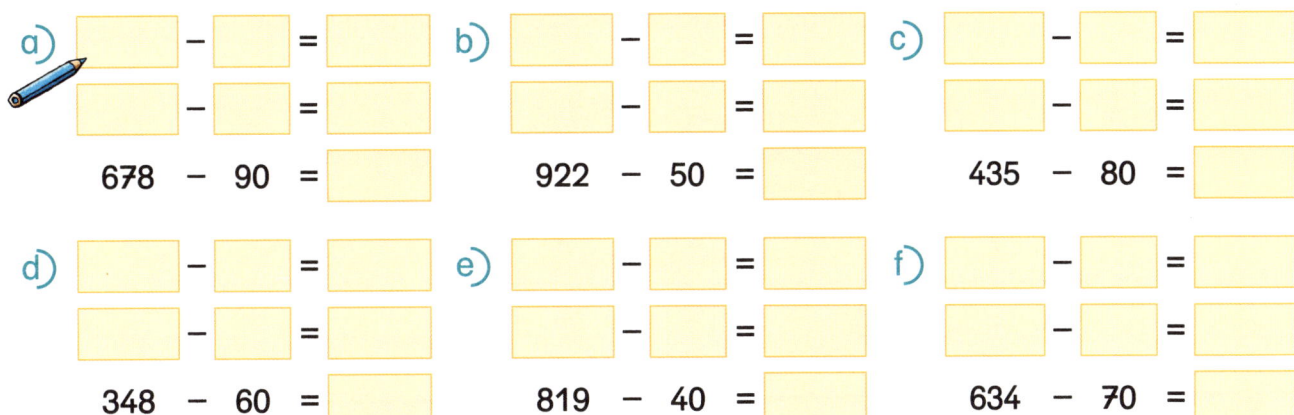

a) ☐ − ☐ = ☐
☐ − ☐ = ☐
678 − 90 = ☐

b) ☐ − ☐ = ☐
☐ − ☐ = ☐
922 − 50 = ☐

c) ☐ − ☐ = ☐
☐ − ☐ = ☐
435 − 80 = ☐

d) ☐ − ☐ = ☐
☐ − ☐ = ☐
348 − 60 = ☐

e) ☐ − ☐ = ☐
☐ − ☐ = ☐
819 − 40 = ☐

f) ☐ − ☐ = ☐
☐ − ☐ = ☐
634 − 70 = ☐

3 Rechne und bilde selbst solche Aufgabenpaare.

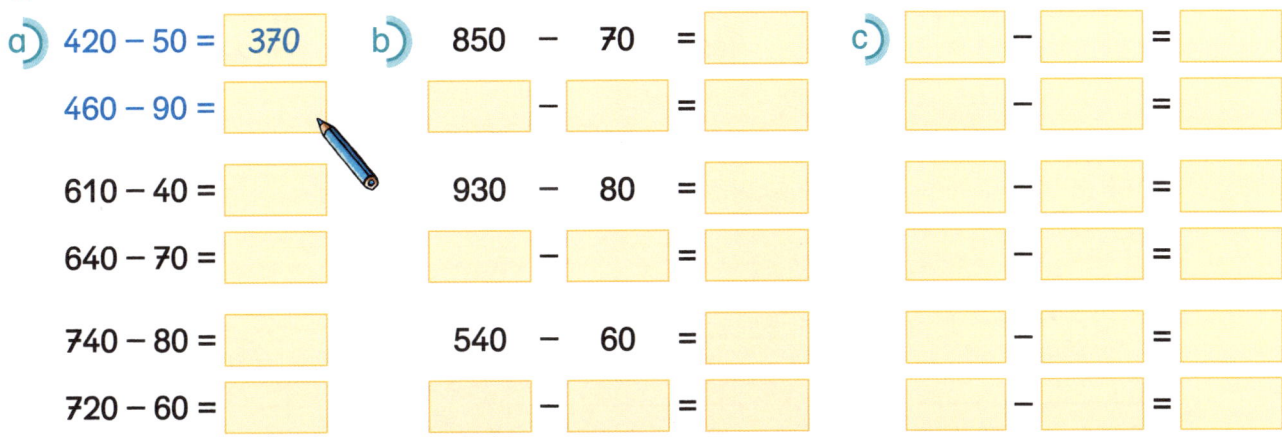

a) 420 − 50 = 370
460 − 90 = ☐
610 − 40 = ☐
640 − 70 = ☐
740 − 80 = ☐
720 − 60 = ☐

b) 850 − 70 = ☐
☐ − ☐ = ☐
930 − 80 = ☐
☐ − ☐ = ☐
540 − 60 = ☐
☐ − ☐ = ☐

c) ☐ − ☐ = ☐
☐ − ☐ = ☐
☐ − ☐ = ☐
☐ − ☐ = ☐
☐ − ☐ = ☐
☐ − ☐ = ☐

d) Überlege, warum die Aufgabenpaare immer das gleiche Ergebnis haben.

| 9 − 5 + 8 | 5 + 2 − 3 + 9 | 8 − 6 + 7 − 3 + 5 |

 13 12 11

→ Ü Seiten 15 und 16

★ übertragen ihre Kenntnisse des Einspluseins bis 100 auf den Zahlenraum bis 1 000
★ nutzen und vergleichen unterschiedliche Rechenwege

Minusaufgaben am Rechenstrich in zwei Schritten lösen

$$623 - 240 = \boxed{}$$

Mai-Lin:
Ich nehme zuerst die Zehner weg und dann die Hunderter.

−240
−40 −200

383   423   623

623 − 240 = 383
623 − 200 = 423
423 − 40 = 383

Paul:
Ich nehme zuerst die Hunderter weg und dann die Zehner.

−240
−200 −40

383   583   623

623 − 240 = 383
623 − 40 = 583
583 − 200 = 383

1 Überlege, ob du die Aufgabe 623 − 240 wie Mai-Lin oder wie Paul rechnen würdest.

2 Lies die Aufgaben am Rechenstrich ab. Schreibe die Rechenschritte auf.

a)
−380
−80 −300
184 264   564

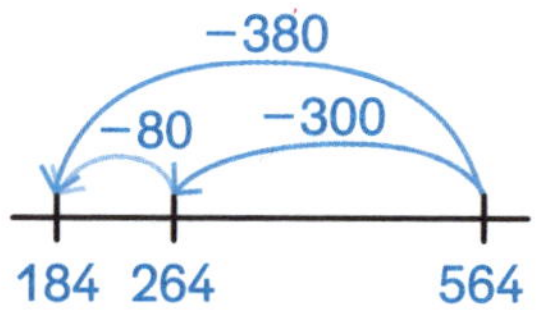

564 − 380 = ☐
564 − 300 = 264
264 − 80 = 184

b)
−160
−60 −100
176 236 336

☐ − ☐ = ☐
☐ − ☐ = ☐
☐ − ☐ = ☐

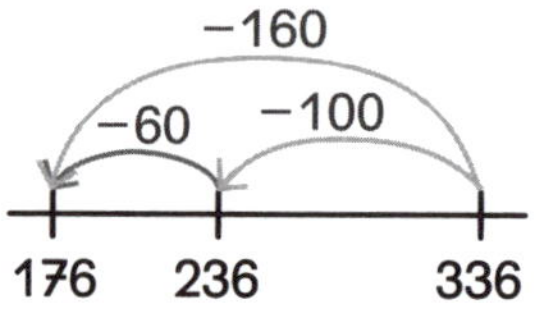

c)
−270
−200 −70
255   455 525

☐ − ☐ = ☐
☐ − ☐ = ☐
☐ − ☐ = ☐

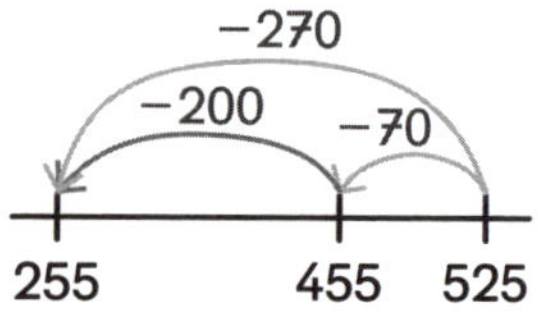

d)
−530
−500 −30
183   683 713

☐ − ☐ = ☐
☐ − ☐ = ☐
☐ − ☐ = ☐

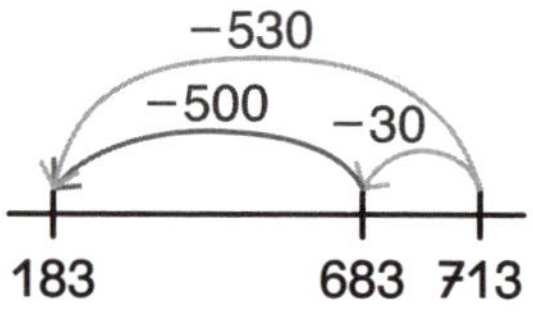

e)
−460
−60 −400
182 242   642

☐ − ☐ = ☐
☐ − ☐ = ☐
☐ − ☐ = ☐

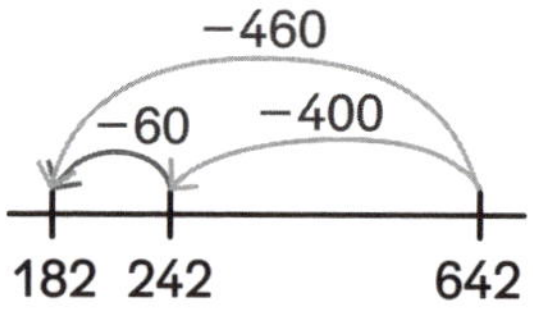

f)
−250
−50 −200
178 228   428

☐ − ☐ = ☐
☐ − ☐ = ☐
☐ − ☐ = ☐

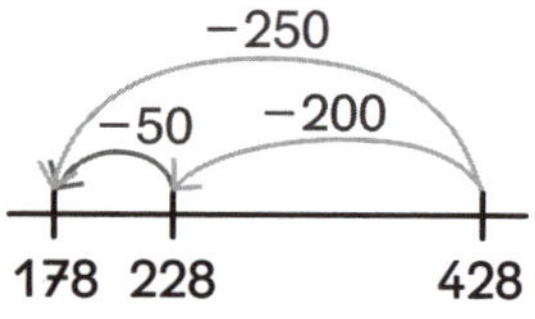

g)
−690
−600 −90
163   763 853

☐ − ☐ = ☐
☐ − ☐ = ☐
☐ − ☐ = ☐

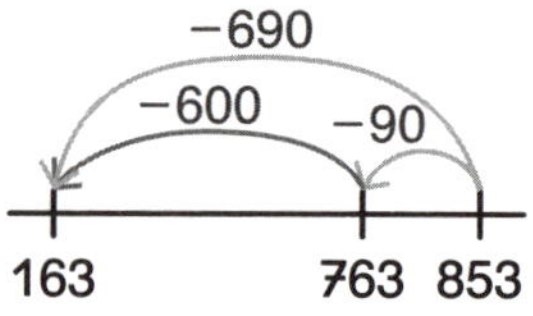

h)
−370
−300 −70
68   368 438

☐ − ☐ = ☐
☐ − ☐ = ☐
☐ − ☐ = ☐

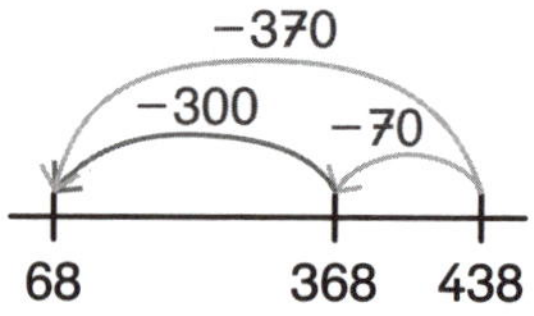

i)
−580
−80 −500
357 437   937

☐ − ☐ = ☐
☐ − ☐ = ☐
☐ − ☐ = ☐

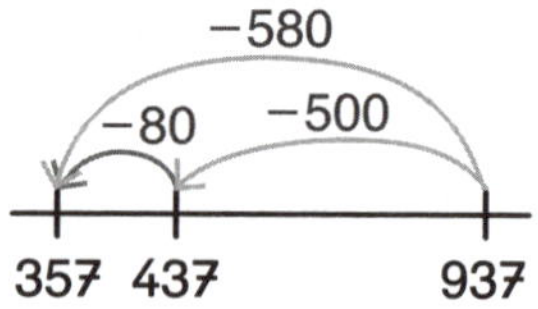

★ stellen ihre Rechenwege nachvollziehbar dar
★ übertragen eine Darstellung in eine andere

→ Ü Seite 17

Minusaufgaben mit dem eigenen Rechenweg in zwei Schritten lösen

1 Löse die Aufgaben. Notiere deine Rechenschritte.

a) am Rechenstrich

728 − 350 = ⬚ ——————————————————+
728

847 − 580 = ⬚ ——————————————————+
847

685 − 390 = ⬚ ——————————————————+
685

b) als Rechnung

568 − 370 = ⬚   963 − 480 = ⬚   423 − 270 = ⬚

568 − ⬚ = ⬚   963 − ⬚ = ⬚   423 − ⬚ = ⬚

⬚ − ⬚ = ⬚   ⬚ − ⬚ = ⬚   ⬚ − ⬚ = ⬚

2 Rechne mit deinem Rechenweg. Zeichne oder schreibe ihn auf.

a) 652 − 290 = ⬚   **b)** 731 − 470 = ⬚

c) 826 − 360 = ⬚   **d)** 512 − 250 = ⬚

e) 948 − 580 = ⬚   **f)** 649 − 580 = ⬚

g) 534 − 270 = ⬚   **h)** 929 − 640 = ⬚

Seite 25 Aufgabe 2

a) ...

i) Notiere deinen Rechenweg im Lerntagebuch.

3 Löse zunächst nur die erste Aufgabe. Bestimme, ohne zu rechnen, die Ergebnisse der nächsten zwei Aufgaben. Setze die Reihen fort.

a) 773 − 280 = ⬚   **b)** 864 − 670 = ⬚
     763 − 270 = ⬚   844 − 650 = ⬚
     753 − 260 = ⬚   824 − 630 = ⬚
        ⋮   ⋮

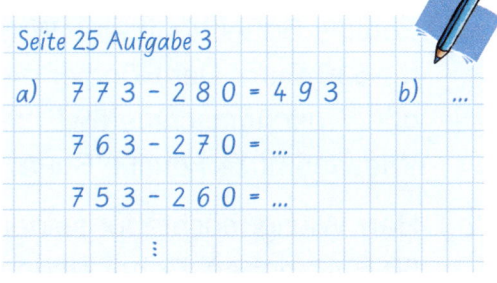

Seite 25 Aufgabe 3

a) 7 7 3 − 2 8 0 = 4 9 3   b) ...
*   7 6 3 − 2 7 0 = ...*
*   7 5 3 − 2 6 0 = ...*
*   ⋮*

c) 935 − 650 = ⬚   **d)** 672 − 490 = ⬚
     835 − 550 = ⬚   562 − 380 = ⬚
     735 − 450 = ⬚   452 − 270 = ⬚
        ⋮   ⋮

e) Begründe, warum du die Reihen, ohne zu rechnen, fortsetzen konntest.
Besprich die Erklärung mit einem anderen Kind.

★ entwickeln vorteilhafte Lösungsstrategien
★ erklären, vergleichen und bewerten Rechenwege und begründen ihre Ergebnisse
★ beschreiben arithmetische Muster und deren Gesetzmäßigkeit

25

Minusaufgaben üben

1 Ergänze die Zahlenmauern. Rechne in zwei Schritten im Kopf.

a) 568 / 320 / 150

b) 712 / 340 / 240

c) 859 / 420 / 250

2 Löse die Zahlenrätsel.

Meine Zahl erhältst du, wenn du von 537 zuerst 300 und dann 60 abziehst.

Meral

Du erhältst meine Zahl, wenn du von 728 erst 500 abziehst und dann 10 dazurechnest.

Max

3 Schreibe selbst ein Zahlenrätsel für ein anderes Kind.

4

Wir nehmen ihr Altgerät in Zahlung!

a) Familie Bauer kauft eine Waschmaschine für 636 Euro. Der Händler gibt ihr für ihre alte Waschmaschine 80 Euro. Wie viel muss Familie Bauer noch bezahlen?

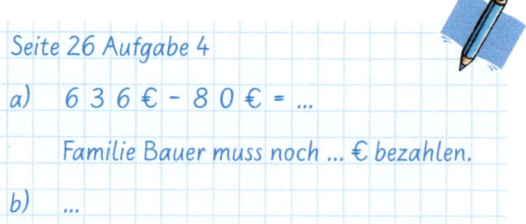

Seite 26 Aufgabe 4

a) 636 € – 80 € = ...

Familie Bauer muss noch ... € bezahlen.

b) ...

b) Herr Witzig möchte für seinen alten Herd 50 Euro haben. Er hat einen neuen Herd ausgesucht, der 545 Euro kostet. Was müsste er dem Händler noch bezahlen?

c) Suche selbst weitere Beispiele und berechne. Du kannst in Prospekten oder Katalogen Preise für Elektrogeräte finden.

* wenden ihre Kenntnisse zur Subtraktion an
* lösen und erfinden Zahlenrätsel
* finden mathematische Lösungen zu Sachsituationen

Wege berechnen

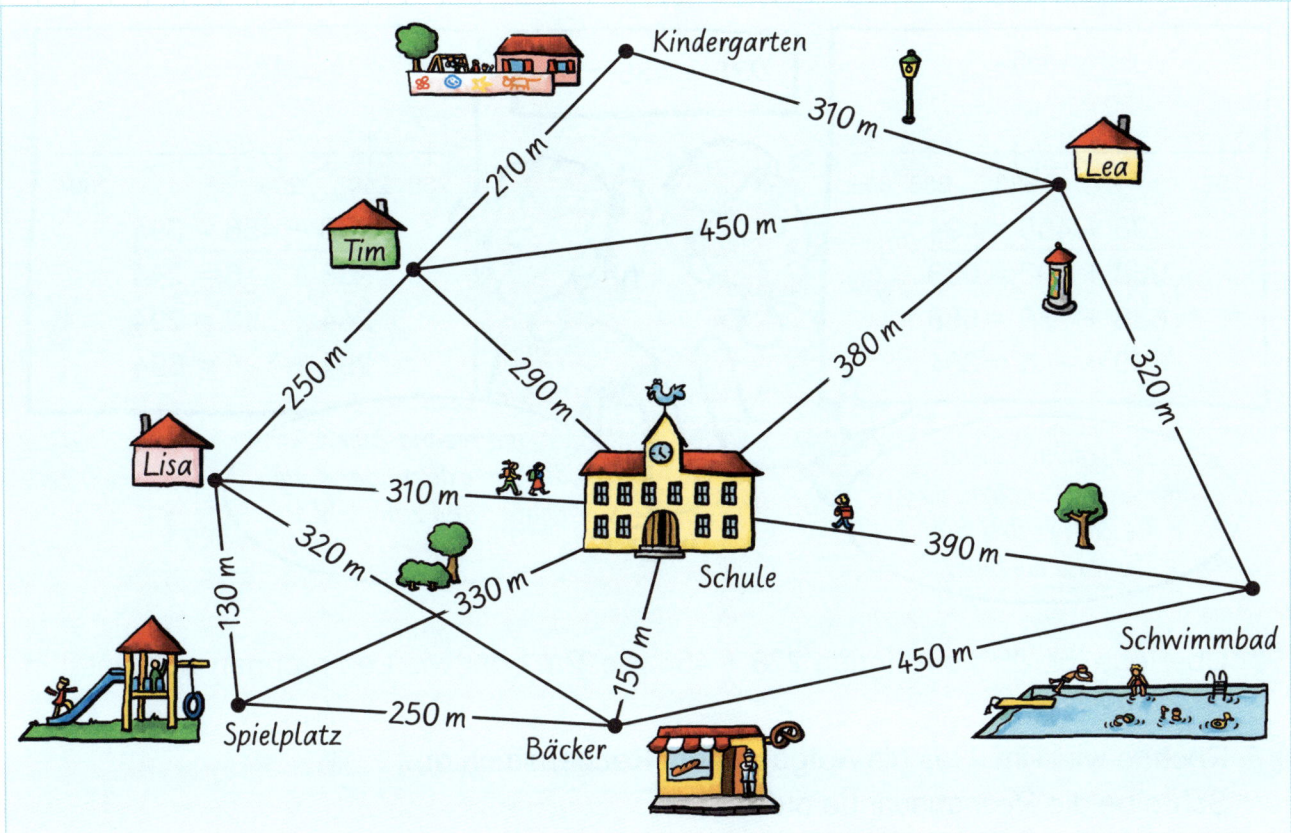

 1 Schaue dir mit einem Partner den Plan an. Beschreibt, was darauf dargestellt ist.

a) Welches Kind hat den kürzesten, welches den längsten Schulweg?
Wie groß ist der Unterschied zwischen beiden Wegen?

b) Wie lang sind die Schulwege der Kinder (Hin- und Rückweg)?

c) Tim geht mit Lisa auf den Spielplatz und wieder zurück.
Wie lang sind die Wege für jedes Kind?

d) Tim begleitet Lea von der Schule nach Hause und holt dann seinen Bruder
im Kindergarten ab. Wie lang ist dann sein Weg von der Schule nach Hause?
Um wie viel länger ist dieser Weg als sein üblicher Schulweg?

e) Die Kinder haben in der letzten Stunde Schwimmunterricht.
Sie gehen direkt vom Schwimmbad aus nach Hause.
Wie lang ist für jedes Kind der kürzeste Weg nach Hause?

 2 Sucht selbst weitere Fragen, die ihr euch zunächst gegenseitig stellt.
Beantwortet sie gemeinsam.

 3 Schreibe gemeinsam mit einem anderen Kind einige Fragen auf ein Blatt Papier.
Stellt diese anderen Kindern in der Klasse zur Verfügung.
Beantwortet einige der Fragen, die sich andere Kinder ausgedacht haben.

★ nutzen Skizzen und Lagepläne zur Orientierung im Raum
★ finden mathematische Lösungen zu Sachsituationen
★ entnehmen einem Lageplan relevante Informationen und formulieren dazu mathematische Fragestellungen 27

238 + 456 = ☐

Tim: Ich rechne zuerst die Hunderter dazu, dann die Zehner und zum Schluss die Einer.

238 + 456 = 694
238 + 400 = 638
638 + 50 = 688
688 + 6 = 694

Lea: Ich rechne zuerst die Einer dazu, dann die Zehner und zum Schluss die Hunderter.

238 + 456 = 694
238 + 6 = 244
244 + 50 = 294
294 + 400 = 694

1 Überlege, ob du die Aufgabe 238 + 456 wie Tim oder wie Lea rechnen würdest.

2 Rechne wie Tim. Lies die Aufgaben am Rechenstrich ab.
Schreibe die Rechenschritte auf.

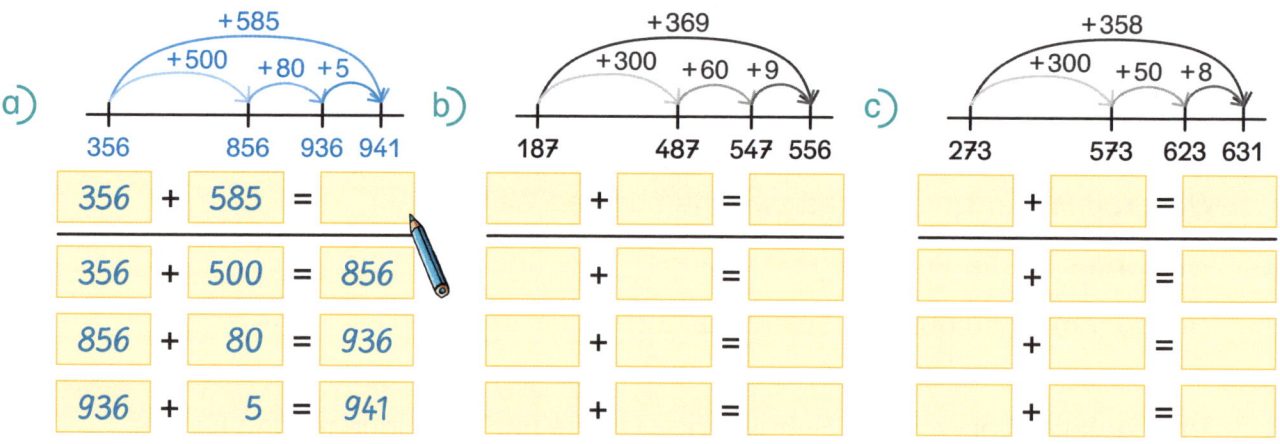

a)
356 + 585 = ☐
356 + 500 = 856
856 + 80 = 936
936 + 5 = 941

b)
☐ + ☐ = ☐
☐ + ☐ = ☐
☐ + ☐ = ☐
☐ + ☐ = ☐

c)
☐ + ☐ = ☐
☐ + ☐ = ☐
☐ + ☐ = ☐
☐ + ☐ = ☐

3 Rechne wie Lea. Lies die Aufgaben am Rechenstrich ab.
Schreibe die Rechenschritte auf.

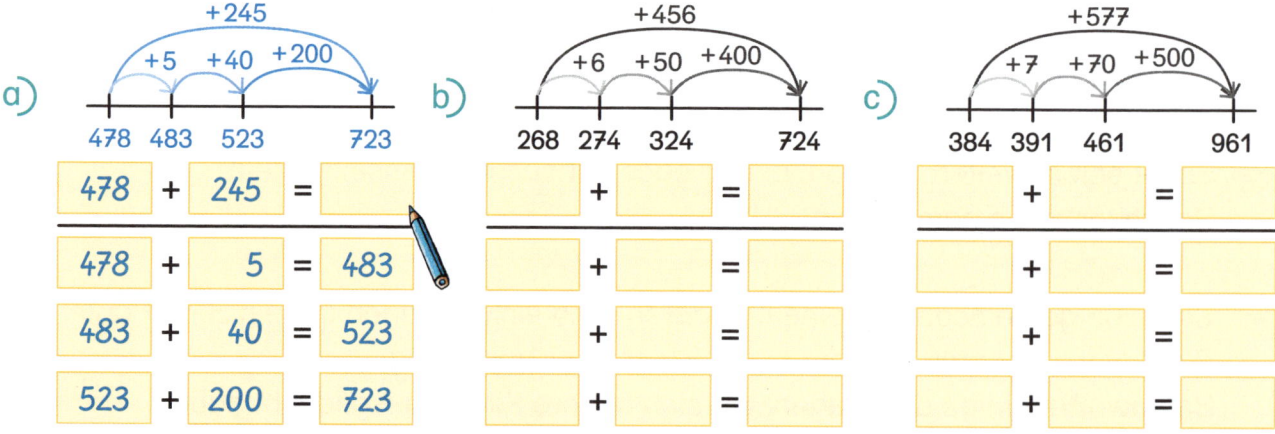

a)
478 + 245 = ☐
478 + 5 = 483
483 + 40 = 523
523 + 200 = 723

b)
☐ + ☐ = ☐
☐ + ☐ = ☐
☐ + ☐ = ☐
☐ + ☐ = ☐

c)
☐ + ☐ = ☐
☐ + ☐ = ☐
☐ + ☐ = ☐
☐ + ☐ = ☐

★ lösen Additionsaufgaben im Zahlenraum bis 1000
★ nutzen, erklären und vergleichen Rechenstrategien
★ übertragen die am Rechenstrich dargestellte Schrittfolge in nacheinander ausgeführte Additonsaufgaben

1 Stelle deine Rechenschritte am Rechenstrich dar. Schreibe die Rechenschritte auf.

a) $425 + 268 = \boxed{}$

	+		=	
	+		=	
	+		=	
	+		=	

b) $363 + 229 = \boxed{}$

	+		=	
	+		=	
	+		=	
	+		=	

c) $254 + 376 = \boxed{}$

	+		=	
	+		=	
	+		=	
	+		=	

d) $482 + 375 = \boxed{}$

	+		=	
	+		=	
	+		=	
	+		=	

e) $547 + 358 = \boxed{}$

	+		=	
	+		=	
	+		=	
	+		=	

★ lösen Additionsaufgaben im Zahlenraum bis 1000
★ nutzen Rechenstrategien
★ stellen Rechenschritte am Rechenstrich und als nacheinander ausgeführte Additionsaufgaben dar

29

Rechenschritte auf verschiedene Art darstellen

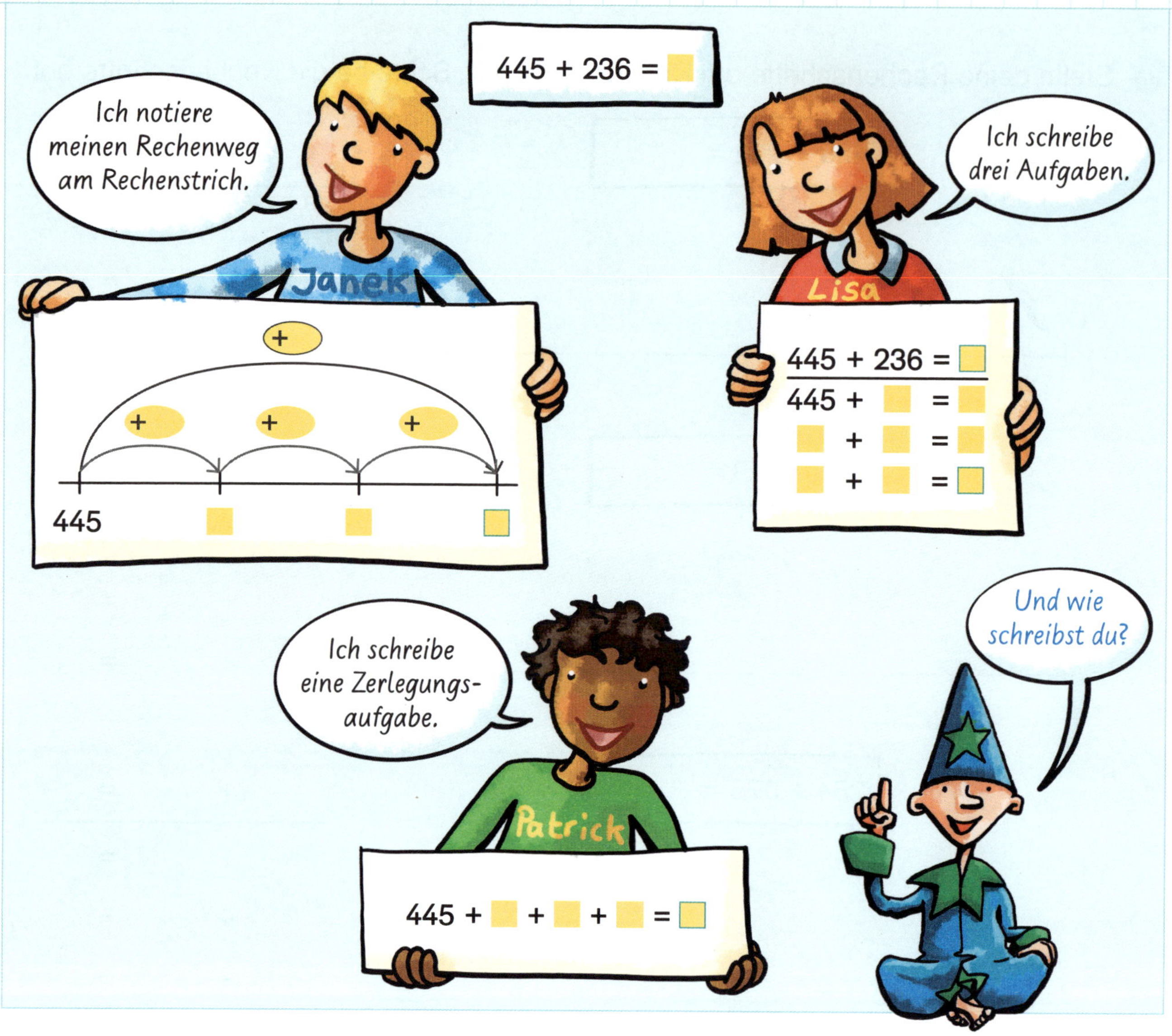

1 Löse die Aufgabe 445 + 236.
Zeichne oder schreibe deine Rechenschritte wie Janek, Lisa und Patrick.

2 Überlege, mit welcher Darstellung der Rechenschritte du am besten rechnen kannst.

* stellen Rechenschritte auf verschiedene Weise dar
* reflektieren und begründen ihre individuell bevorzugte Notationsform

Plusaufgaben in drei Schritten lösen

1 Löse die Aufgabe 268 + 356 .
Notiere deine Rechenschritte auf verschiedene Weise.

a) am Rechenstrich

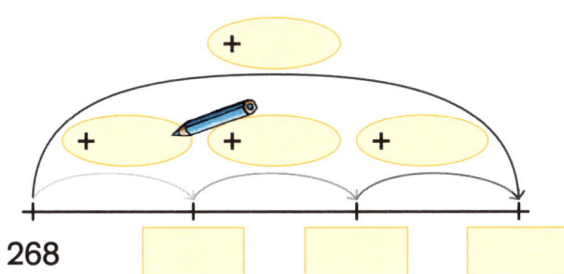

268

b) als drei Plusaufgaben

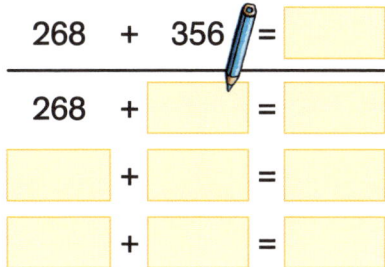

c) als Zerlegungsaufgabe

268 + ▢ + ▢ + ▢ = ▢

2 Löse die Teilschritte. Fasse dann die dargestellten Rechenschritte zusammen.
Bestimme das Ergebnis.

a) 329 + 300 + 60 + 5 = ▢

329 + ▢ = ▢

b)

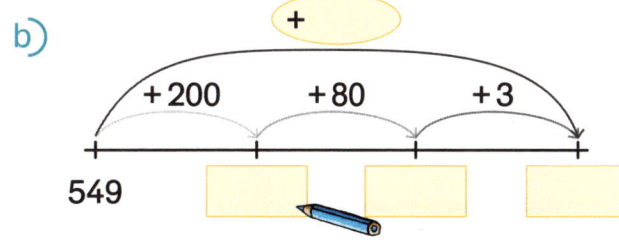

549

c) 374 + ▢ = ▢

374 + 100 = ▢

▢ + 60 = ▢

▢ + 8 = ▢

Mit welcher Darstellung kannst du am besten rechnen?

3 Rechne mit deinem Rechenweg. Stelle die Rechenschritte auf deine Weise dar.

a) 358 + 463 = ▢

b) 287 + 648 = ▢

Plusaufgaben lösen

1 Rechne mit deinem Rechenweg. Stelle die Rechenschritte auf deine Weise dar.

a) 326 + 263 =

b) 455 + 281 =

c) 152 + 626 =

d) 574 + 355 =

e) 643 + 248 =

f) 553 + 289 =

g) 456 + 225 =

h) 386 + 437 =

i) Notiere deinen Rechenweg im Lerntagebuch.

★ stellen Rechenschritte auf verschiedene Weise dar

Den eigenen Rechenweg anwenden

1 Rechne mit deinem Rechenweg.
Notiere deine Rechenschritte.

a) 563 + 354 = ☐
   384 + 425 = ☐
   195 + 561 = ☐
   276 + 452 = ☐

b) 394 + 423 = ☐
   468 + 271 = ☐
   275 + 562 = ☐
   194 + 632 = ☐

c) 584 + 237 = ☐
   376 + 465 = ☐
   453 + 389 = ☐
   657 + 163 = ☐

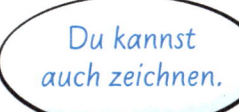

Du kannst auch zeichnen.

Seite 33 Aufgabe 1
a) ...

2 Löse die Aufgaben.
Setze die Zeichen <, > oder = passend ein.

a) 274 + 341 ◯ 614
   382 + 523 ◯ 805
   173 + 152 ◯ 325
   452 + 486 ◯ 983

b) 363 + 186 ◯ 549
   535 + 381 ◯ 915
   756 + 163 ◯ 929
   182 + 584 ◯ 677

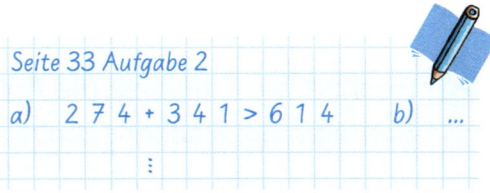

Seite 33 Aufgabe 2
a) 2 7 4 + 3 4 1 > 6 1 4   b) ...
    ⋮

3 Löse die Aufgaben. Trage passende Zahlen ein.

a) 582 + 126 > ☐
   663 + 274 = ☐
   471 + 357 < ☐
   326 + 491 > ☐

b) 256 + 492 < ☐
   642 + 285 > ☐
   373 + 536 = ☐
   484 + 173 < ☐

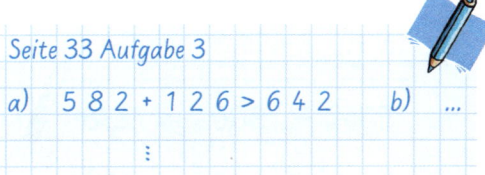

Seite 33 Aufgabe 3
a) 5 8 2 + 1 2 6 > 6 4 2   b) ...
    ⋮

4 Trage passende Zahlen ein.
Finde verschiedene Möglichkeiten.

a) ☐ + ☐ < ☐

b) ☐ + ☐ > ☐

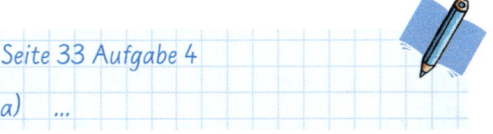

Seite 33 Aufgabe 4
a) ...

 5 Bestimme bei den Ergebnissen von Aufgabe ③
die größte und die kleinste mögliche Lösung
im Zahlenraum bis 1 000. Beachte, dass auch 0
ein Ergebnis sein kann. Besprich deine
Überlegungen mit einem anderen Kind.

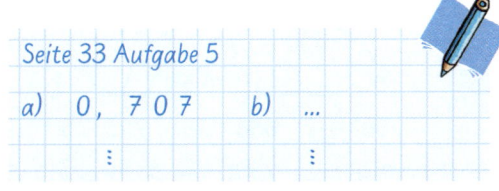

Seite 33 Aufgabe 5
a) 0 , 7 0 7   b) ...
    ⋮   ⋮

| 9 + 5 − 7 | | 13 − 4 + 6 − 9 | | 7 + 5 − 8 + 7 − 3 |

 6   7   8

★ nutzen den individuell vorteilhaften Rechenweg beim Lösen von Aufgaben
★ wenden ihre mathematischen Kenntnisse, Fähigkeiten und Fertigkeiten bei der Bearbeitung
herausfordernder und unbekannter Aufgaben an und entwickeln dabei Lösungsstrategien

Minusaufgaben in drei Schritten lösen

$$324 - 216 = \blacksquare$$

Ich nehme zuerst die Hunderter weg, dann die Zehner und zum Schluss die Einer.

Ich nehme zuerst die Einer weg, dann die Zehner und zum Schluss die Hunderter.

Tim

−216

−6 −10 −200

108 114 124 324

324 − 216 = 108
324 − 200 = 124
124 − 10 = 114
114 − 6 = 108

Lea

−216

−200 −10 −6

108 308 318 324

324 − 216 = 108
324 − 6 = 318
318 − 10 = 308
308 − 200 = 108

1 Überlege, ob du die Aufgabe 324 − 216 wie Tim oder wie Lea rechnen würdest.

2 Rechne wie Tim. Lies die Aufgaben am Rechenstrich ab.
Schreibe die Rechenschritte auf.

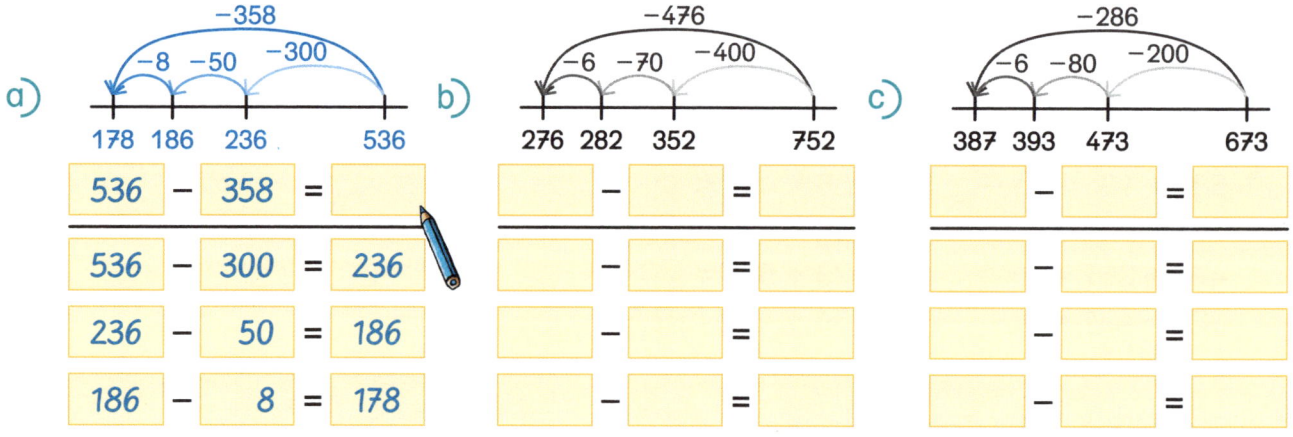

a)
−358
−8 −50 −300
178 186 236 536

536 − 358 = ▢
―――――――――
536 − 300 = 236
236 − 50 = 186
186 − 8 = 178

b)
−476
−6 −70 −400
276 282 352 752

▢ − ▢ = ▢
―――――――――
▢ − ▢ = ▢
▢ − ▢ = ▢
▢ − ▢ = ▢

c)
−286
−6 −80 −200
387 393 473 673

▢ − ▢ = ▢
―――――――――
▢ − ▢ = ▢
▢ − ▢ = ▢
▢ − ▢ = ▢

3 Rechne wie Lea. Lies die Aufgaben am Rechenstrich ab.
Schreibe die Rechenschritte auf.

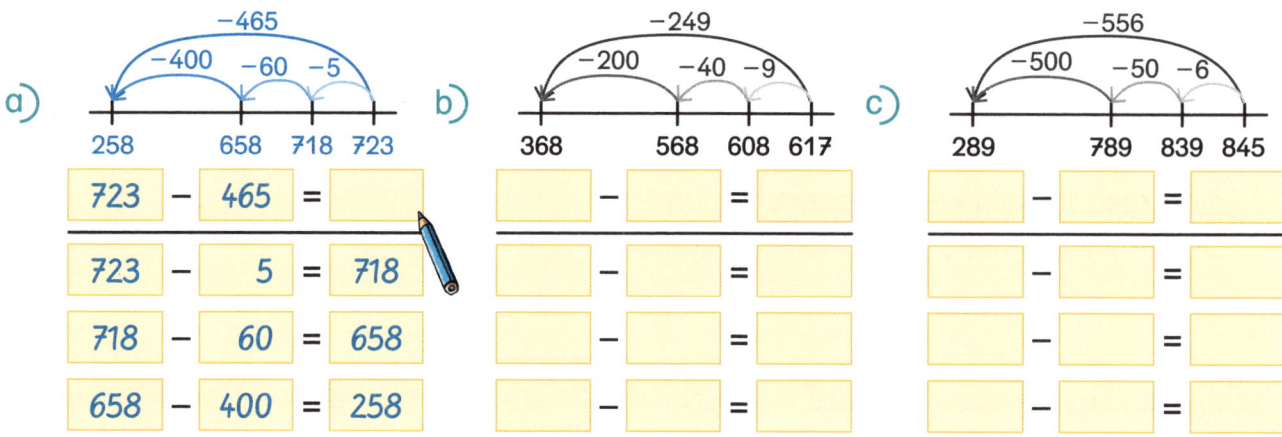

a)
−465
−400 −60 −5
258 658 718 723

723 − 465 = ▢
―――――――――
723 − 5 = 718
718 − 60 = 658
658 − 400 = 258

b)
−249
−200 −40 −9
368 568 608 617

▢ − ▢ = ▢
―――――――――
▢ − ▢ = ▢
▢ − ▢ = ▢
▢ − ▢ = ▢

c)
−556
−500 −50 −6
289 789 839 845

▢ − ▢ = ▢
―――――――――
▢ − ▢ = ▢
▢ − ▢ = ▢
▢ − ▢ = ▢

★ lösen Subtraktionsaufgaben im Zahlenraum bis 1 000
★ nutzen, erklären und vergleichen Rechenstrategien
★ übertragen die am Rechenstrich dargestellte Schrittfolge in nacheinander ausgeführte Subtraktionsaufgaben

1 Stelle deine Rechenschritte am Rechenstrich dar. Schreibe die Rechenschritte auf.

a)

568 – 325 = ☐

☐ – ☐ = ☐
☐ – ☐ = ☐
☐ – ☐ = ☐
☐ – ☐ = ☐

b)

798 – 353 = ☐

☐ – ☐ = ☐
☐ – ☐ = ☐
☐ – ☐ = ☐
☐ – ☐ = ☐

c)

682 – 245 = ☐

☐ – ☐ = ☐
☐ – ☐ = ☐
☐ – ☐ = ☐
☐ – ☐ = ☐

d)

832 – 456 = ☐

☐ – ☐ = ☐
☐ – ☐ = ☐
☐ – ☐ = ☐
☐ – ☐ = ☐

e)

443 – 386 = ☐

☐ – ☐ = ☐
☐ – ☐ = ☐
☐ – ☐ = ☐
☐ – ☐ = ☐

★ lösen Subtraktionsaufgaben im Zahlenraum bis 1000
★ nutzen Rechenstrategien
★ stellen Rechenschritte am Rechenstrich und als nacheinander ausgeführte Subtraktionsaufgaben dar
35

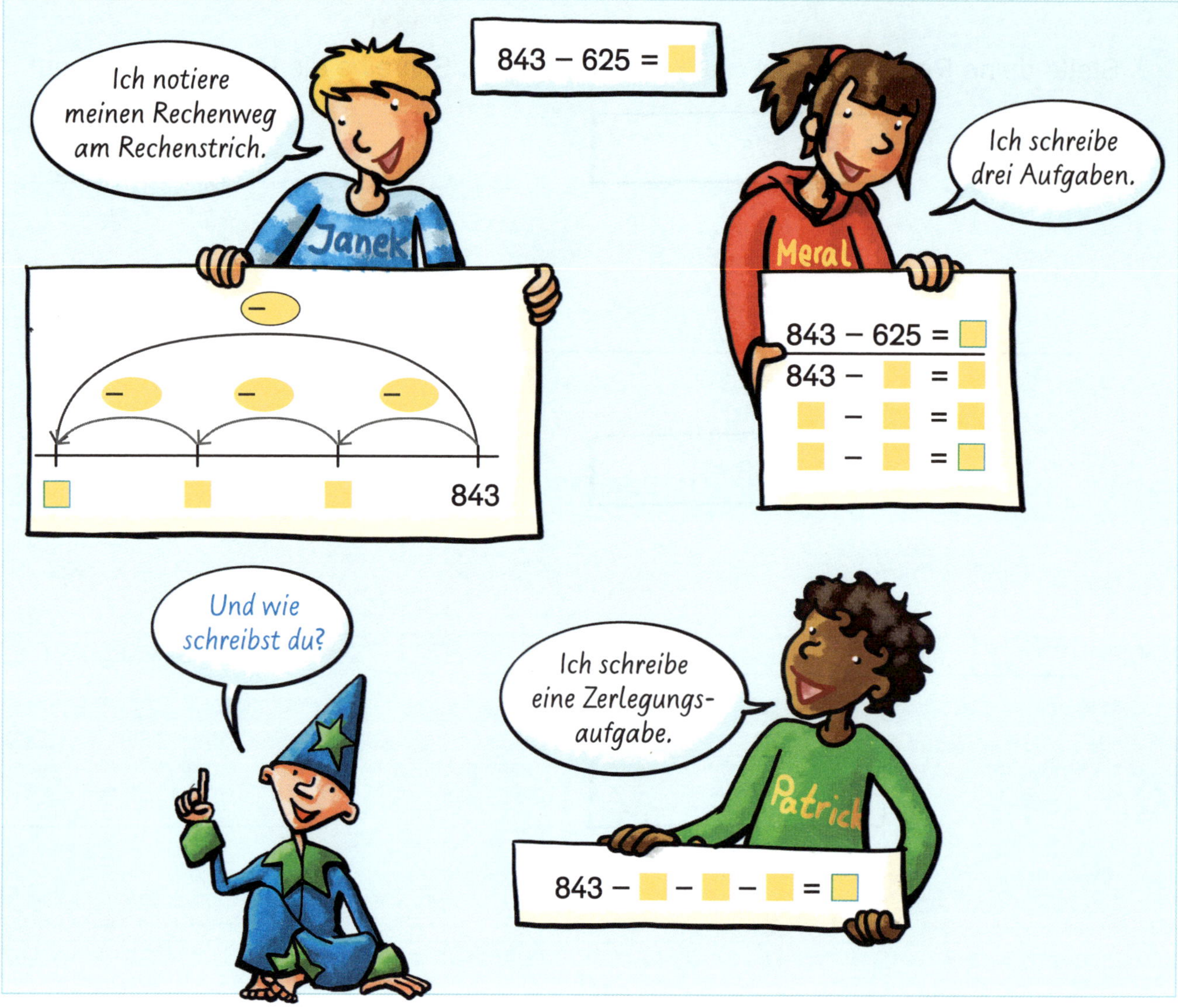

1 Löse die Aufgabe 843 − 625.
Zeichne oder schreibe deine Rechenschritte wie Janek, Meral und Patrick.

2 Überlege, mit welcher Darstellung der Rechenschritte du am besten rechnen kannst.

Minusaufgaben in drei Schritten lösen

1 Löse die Aufgabe $\boxed{745 - 268}$.
Notiere deine Rechenschritte auf verschiedene Weise.

a) am Rechenstrich

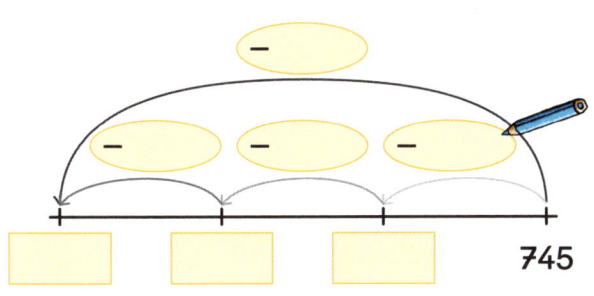

b) als drei Minusaufgaben

c) als Zerlegungsaufgabe

2 Löse die Teilschritte. Fasse dann die dargestellten Rechenschritte zusammen.
Bestimme das Ergebnis.

a)

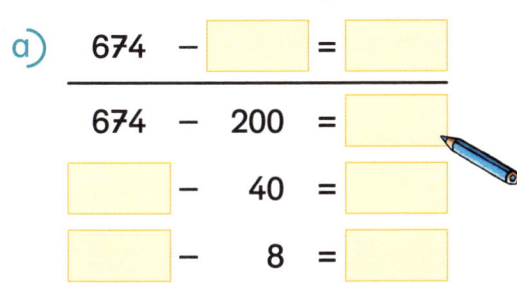

Mit welcher Darstellung kannst du am besten rechnen?

b)

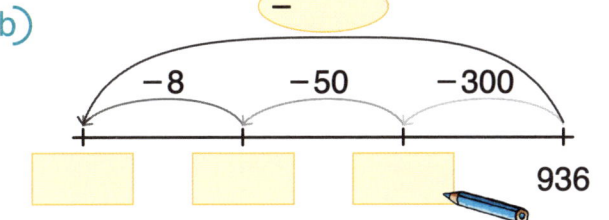

c) $825 - 500 - 40 - 7 =$

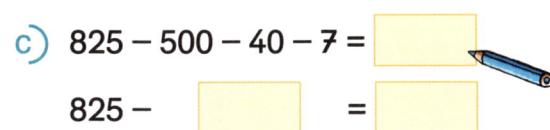

3 Rechne mit deinem Rechenweg. Stelle die Rechenschritte auf deine Weise dar.

a) $\boxed{423 - 237 = }$

b) $\boxed{548 - 172 = }$

1 Rechne mit deinem Rechenweg. Stelle die Rechenschritte auf deine Weise dar.

a) 786 − 263 = [ ]

b) 728 − 483 = [ ]

c) 847 − 525 = [ ]

d) 476 − 381 = [ ]

e) 531 − 122 = [ ]

f) 684 − 595 = [ ]

g) 774 − 356 = [ ]

h) 843 − 367 = [ ]

i) Notiere deinen Rechenweg im Lerntagebuch.

★ stellen Rechenschritte auf verschiedene Weise dar

Den eigenen Rechenweg anwenden

1 Rechne mit deinem Rechenweg.
Notiere deine Rechenschritte.

a) 658 − 264 = ☐
317 − 182 = ☐
865 − 673 = ☐
784 − 391 = ☐

b) 769 − 574 = ☐
874 − 492 = ☐
651 − 271 = ☐
338 − 177 = ☐

c) 964 − 195 = ☐
657 − 386 = ☐
836 − 567 = ☐
523 − 345 = ☐

Du kannst auch zeichnen.

2 Löse die Aufgaben.
Setze die Zeichen <, > oder = passend ein.

a) 646 − 155 ◯ 481
753 − 281 ◯ 482
838 − 576 ◯ 262
669 − 469 ◯ 210

b) 917 − 586 ◯ 333
528 − 378 ◯ 150
747 − 657 ◯ 189
458 − 295 ◯ 153

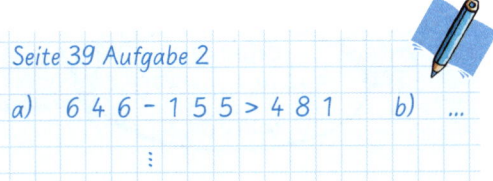

3 Löse die Aufgaben. Trage passende Zahlen ein.

a) 289 − 193 > ☐
478 − 297 = ☐
875 − 485 < ☐
643 − 371 > ☐

b) 519 − 323 < ☐
876 − 482 > ☐
935 − 674 = ☐
477 − 385 < ☐

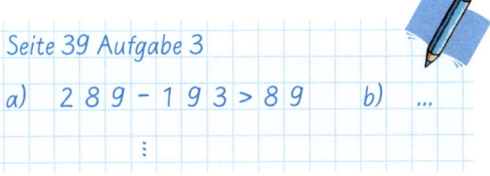

4 Trage passende Zahlen ein.
Finde verschiedene Möglichkeiten.

a) ☐ − ☐ < ☐

b) ☐ − ☐ > ☐

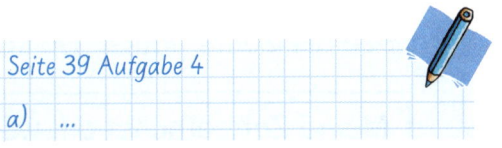

5 Bestimme bei den Ergebnissen von Aufgabe ③
die größte und die kleinste mögliche Lösung
im Zahlenraum bis 1000. Beachte, dass auch 0
ein Ergebnis sein kann. Besprich deine
Überlegungen mit einem anderen Kind.

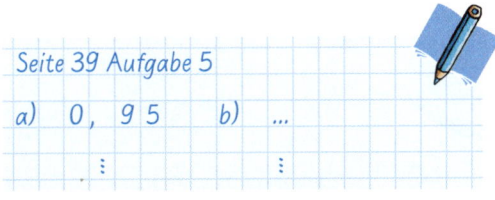

| 30 + 40 − 20 | 20 + 50 − 40 + 60 | 40 + 60 − 70 + 30 − 50 |

★ nutzen den individuell vorteilhaften Rechenweg beim Lösen von Aufgaben
★ wenden ihre mathematischen Kenntnisse, Fähigkeiten und Fertigkeiten bei der Bearbeitung
herausfordernder und unbekannter Aufgaben an und entwickeln dabei Lösungsstrategien

→ Ü Seite 19

39

Zahlenrätsel lösen

addieren +
subtrahieren −

Sprechen wie die Mathematiker: Addieren heißt plus rechnen, das Ergebnis heißt Summe. Subtrahieren heißt minus rechnen, das Ergebnis heißt Differenz.

1 Finde die passende Aufgabe und löse sie.

Addiere 410 und 270.

Subtrahiere von 720 die Zahl 460.

Bilde die Differenz aus 566 und 240.

Bilde die Summe aus 370 und 181.

Addiere zu 241 zuerst 123, dann 432.

Subtrahiere von 682 zuerst 230, dann 351.

Max: _____

Mai-Lin: _____

Ole: _____

Lea: _____

Paul: _____

Maja: _____

2 Löse die Zahlenrätsel. Du kannst auch am Rechenstrich rechnen.

Meine Zahl erhältst du, wenn du von 747 die Zahl 23 subtrahierst und dann 130 addierst.

Meine Zahl erhältst du, wenn du 120 und 396 addierst und dann 236 subtrahierst.

Wenn ich zu meiner Zahl 720 addiere, erhalte ich 1 000.

Wenn ich von meiner Zahl 270 subtrahiere, erhalte ich 330.

★ verwenden die Fachbegriffe „addieren" und „subtrahieren", „Summe" und „Differenz"
★ lösen Zahlenrätsel unter Verwendung der entsprechenden Fachbegriffe

Zahlenrätsel erfinden

1 Schreibe zu den Rechnungen Zahlenrätsel.
Verwende die Begriffe „addieren" und „subtrahieren".

a) $256 \xrightarrow{+131} \blacksquare \xrightarrow{+84} \blacksquare$

b) $386 \xrightarrow{-173} \blacksquare \xrightarrow{-70} \blacksquare$

c) $256 \xrightarrow{-237} \blacksquare \xrightarrow{+188} \blacksquare$

d) $\blacksquare \xrightarrow{+50} \blacksquare \xrightarrow{-230} 145$

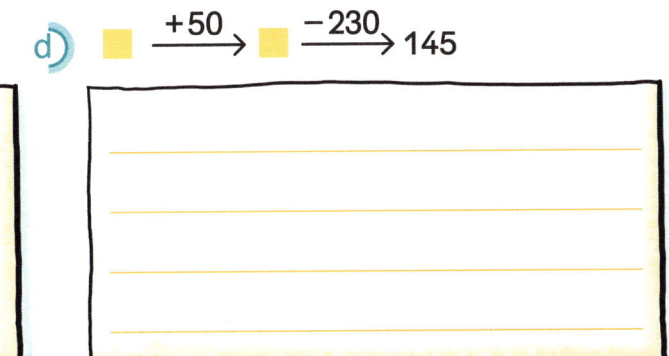

 2 Erfinde selbst Zahlenrätsel für andere Kinder. Verwende die Begriffe
„addieren" und „Summe", „subtrahieren" und „Differenz".

 3 Stellt euch die Rätsel gegenseitig vor und löst sie.

★ verwenden die Fachbegriffe „addieren" und „subtrahieren", „Summe" und „Differenz"
★ erfinden Zahlenrätsel unter Verwendung der entsprechenden Fachbegriffe

Rechenvorteile anwenden – geschickt rechnen (1)

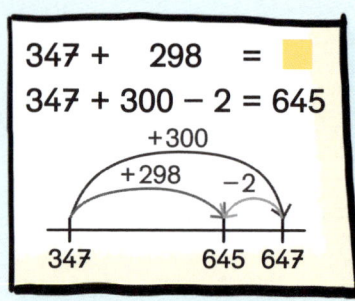

$347 + 298 = \blacksquare$
$347 + 300 - 2 = 645$

Das rechne ich ganz einfach.

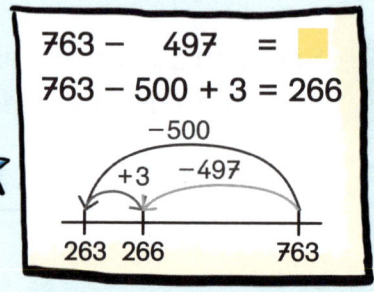

$763 - 497 = \blacksquare$
$763 - 500 + 3 = 266$

1 Besprich mit einem anderen Kind, wie Einstern rechnet.

2 Rechne wie Einstern mit Hunderterzahlen. Schreibe die Aufgaben auf.

a) $268 + 197 = \boxed{465}$
$268 + 200 - 3 = 465$

b) $435 - 299 = \boxed{}$

c) $664 - 395 = \boxed{}$

d) $225 + 298 = \boxed{}$

e) $729 - 598 = \boxed{}$

f) $756 - 294 = \boxed{}$

3 Schreibe auf, welche Rechenvorteile die Kinder anwenden.

a) $223 + 99 = \blacksquare$

Tim rechnet:
$223 + 100 = 323$
$323 - 1 = 322$
+ 99 ist das Gleiche
wie + 100 – 1

b) $473 - 197 = \blacksquare$

Lisa rechnet:
$473 - 200 = 273$
$273 + 3 = 276$

c) $316 + 524 = \blacksquare$

Paul rechnet:
$320 + 520 = 840$

4 Schreibe den noch fehlenden Rechenschritt auf.

a) $246 + 298 = \blacksquare$

$246 + 300 = 546$
$546 - 2 = 544$

b) $468 - 197 = \blacksquare$

$468 - 200 = 268$

c) $298 + 199 = \blacksquare$

$300 + 200 = 500$

5 Finde selbst Rechenaufgaben, bei denen Rechenvorteile das Lösen erleichtern. Stelle die Aufgaben einem anderen Kind vor und überprüfe, ob es die Rechenvorteile findet.

* nutzen und erklären Rechenstrategien
* finden zu gegebener Problemstellung eigene Aufgaben

Rechenvorteile anwenden – geschickt rechnen (2)

1 Rechne mit deinem Rechenweg. Rechne geschickt.

a) 357 + 99 = ☐

357 + 100 − 1 =

b) 624 − 198 = ☐

c) 248 + 352 = ☐

d) 462 − 242 = ☐

2 Rechne und nutze Rechenvorteile. Finde die vier falschen Aufgaben.
Schreibe das richtige Ergebnis auf.

a) 563 − 398 = 165 ✓

758 − 296 = ~~362~~ 462

354 − 99 = 254 _____

b) 625 + 297 = 922 _____

475 + 299 = 775 _____

237 + 695 = 932 _____

c) 163 + 796 = 960 _____

429 − 298 = 131 _____

215 + 398 = 613 _____

3 Ergänze die Aufgabenreihen.

a)
468 − 299 = ☐
467 − 298 = ☐
466 − 297 = ☐
☐ − ☐ = ☐
☐ − ☐ = ☐
☐ − ☐ = ☐
☐ − ☐ = ☐
☐ − ☐ = ☐
☐ − ☐ = ☐
☐ − ☐ = ☐

b)
254 + 399 = ☐
255 + 398 = ☐
256 + 397 = ☐
☐ + ☐ = ☐
☐ + ☐ = ☐
☐ + ☐ = ☐
☐ + ☐ = ☐
☐ + ☐ = ☐
☐ + ☐ = ☐
☐ + ☐ = ☐

c)
499 + 311 = ☐
498 + 312 = ☐
497 + 313 = ☐
☐ + ☐ = ☐
☐ + ☐ = ☐
☐ + ☐ = ☐
☐ + ☐ = ☐
☐ + ☐ = ☐
☐ + ☐ = ☐
☐ + ☐ = ☐

 d) Erkläre einem anderen Kind, wie du gerechnet hast.

e) Begründe, warum alle Aufgaben bei a), b) und c) die gleiche Lösung haben.

4 Finde zwei Aufgabenreihen nach dem Muster von Aufgabe **3**.

Seite 43 Aufgabe 4

★ nutzen und erklären Rechenstrategien, finden und korrigieren Rechenfehler
★ beschreiben und entwickeln arithmetische Muster und erkennen deren Gesetzmäßigkeit
★ erkennen mathematische Zusammenhänge und begründen diese

1 Schreibe die Aufgaben und die Umkehraufgaben auf. Rechne beide aus.

a) $630 \underset{-\,250}{\overset{+\,250}{\rightleftarrows}}$ ☐

 $630 + 250 = 880$
 $880 - 250 = 630$

b) $432 \underset{-\,340}{\overset{+\,340}{\rightleftarrows}}$ ☐

c) $356 \underset{-\,270}{\overset{+\,270}{\rightleftarrows}}$ ☐

d) $460 \underset{+\,290}{\overset{-\,290}{\rightleftarrows}}$ ☐

e) $876 \underset{+\,450}{\overset{-\,450}{\rightleftarrows}}$ ☐

f) $523 \underset{+\,360}{\overset{-\,360}{\rightleftarrows}}$ ☐

2 Löse die Aufgaben. Überprüfe mit den Umkehraufgaben.

a) $480 + 260 =$ ☐

b) $336 + 550 =$ ☐

c) $362 + 270 =$ ☐

d) $530 - 180 =$ ☐

e) $792 - 430 =$ ☐

f) $912 - 350 =$ ☐

g) $518 + 260 =$ ☐

h) $621 - 570 =$ ☐

i) $396 + 430 =$ ☐

$80 - 60 + 70$	$70 - 30 + 50 - 80$	$60 - 50 + 80 - 40 + 30$

  90 80 10

1 Finde zu 3 Zahlen
2 Plusaufgaben
und 2 Minusaufgaben.
Schreibe sie auf.

Aufgabe
und Tauschaufgabe
und die beiden
Umkehraufgaben

a) | 329 | 615 | 286 |

$329 + 286 = 615$
$286 + 329 = 615$
$615 - 329 = 286$
$615 - 286 = 329$

b) | 457 | 802 | 345 |

c) | 365 | 470 | 105 |

d) | 227 | 231 | |

e) | 368 | 488 | |

f) | 247 | 583 | |

g) | | 412 | |

h) | | | |

i) | | | |

2 Überprüfe die Aufgaben mit der Umkehraufgabe. Tipp: 5 Ergebnisse sind falsch.

a) $428 + 280 = 608$ __

b) $673 - 423 = 250$ __

c) $312 + 638 = 950$ __

d) $830 - 535 = 395$ __

e) $123 + 567 = 690$ __

f) $642 - 162 = 580$ __

g) $463 + 287 = 740$ __

h) $853 - 374 = 379$ __

i) $358 + 574 = 932$ __

* nutzen Umkehraufgaben zur Ergebnisüberprüfung
* wenden den Zusammenhang von Addition und Subtraktion beim Bilden eigener Aufgaben an
* finden, erklären und korrigieren Rechenfehler

45

Wenn man ein Ergebnis ungefähr ausrechnen oder überprüfen will, kann man mit gerundeten Zahlen rechnen.

Beim Runden auf Hunderter sucht man den nächstgelegenen Nachbarhunderter einer Zahl.
Beim Runden auf Zehner sucht man den nächstgelegenen Nachbarzehner.

≈ bedeutet:
ist ungefähr.
186 ist ungefähr 200.

186 ≈ 200

1 Finde für die Zahlen den nächsten Nachbarhunderter.

a) 186 ≈ 200   b) 78 ≈ ☐   c) 859 ≈ ☐   d) 573 ≈ ☐

243 ≈ ☐   359 ≈ ☐   953 ≈ ☐   777 ≈ ☐

438 ≈ ☐   649 ≈ ☐   444 ≈ ☐   338 ≈ ☐

2 Schreibe zu jeder Aufgabe eine Überschlagsrechnung (Ü) auf.
Runde die Zahlen auf den Zehner.

a) 674 + 229
Ü: 670 + 230 = 900

b) 437 + 338
Ü: _____

c) 743 + 122
Ü: _____

d) 553 − 478
Ü: _____

e) 388 − 192
Ü: _____

f) 824 − 546
Ü: _____

3 Hier siehst du die Ergebnisse eines Wurfspiels.

	Lea	Ole	Tim	Maja
1. Wurf	280	360	240	280
2. Wurf	220	320	180	320
3. Wurf	380	220	260	180
4. Wurf				

Besprich mit einem anderen Kind:

a) Wie viele Punkte haben die Kinder bisher ungefähr erreicht?
Rechnet mit gerundeten Hunderterzahlen.

b) Lea sagt nach dem Überschlagen der Punktzahlen: „Ich bin auf dem 1. Platz."
Hat sie recht?

c) Wer muss noch die meisten Punkte werfen, um 1 000 zu erreichen? Überschlagt.
Berechnet dann genau, wie viele Punkte noch fehlen.

★ runden Zahlen auf Zehner und Hunderter
★ begründen, ob Ergebnisse plausibel und richtig sind, indem sie Ergebnisse durch Überschlag überprüfen

Plus- und Minusaufgaben üben

1 Rechne mit deinem Rechenweg. Rechne geschickt.

a) 197 + 298 = ☐

b) 824 − 196 = ☐

c) 653 − 333 = ☐

d) 249 + 441 = ☐

2 Überprüfe die Aufgaben mit der Überschlagsrechnung (Ü).
Runde die Zahlen auf den Zehner. Kreuze an, ob das Ergebnis richtig ist.

a) 224 + 378 = 602
Ü: _____
○ kann stimmen
○ kann nicht stimmen

b) 973 − 241 = 732
Ü: _____
○ kann stimmen
○ kann nicht stimmen

c) 557 − 318 = 255
Ü: _____
○ kann stimmen
○ kann nicht stimmen

d) 719 + 138 = 847
Ü: _____
○ kann stimmen
○ kann nicht stimmen

e) 393 + 451 = 744
Ü: _____
○ kann stimmen
○ kann nicht stimmen

f) 622 − 174 = 548
Ü: _____
○ kann stimmen
○ kann nicht stimmen

3 Male die passenden Kärtchen in der gleichen Farbe aus.
Löse die Aufgaben.

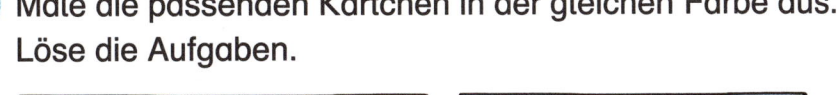

Subtrahiere 340 von 580.

Addiere 340 und 580.

Wenn du von deiner Zahl 340 subtrahierst, erhältst du 580.

Wenn du zu deiner Zahl 340 addierst, erhältst du 580.

340 + 580 = ☐

☐ − 340 = 580

580 − 340 = ☐

☐ + 340 = 580

* wenden Rechenvorteile an
* überprüfen Ergebnisse durch Überschlag auf Plausibilität
* finden zu Zahlenrätseln passende Rechenaufgaben

47

Platzhalteraufgaben in Schritten lösen

1 Rechne bis zum nächsten Hunderter.

a) 520 + ☐ = 600

370 + ☐ = 400

845 + ☐ = 900

736 + ☐ = 800

b) 970 − ☐ = 900

780 − ☐ = 700

692 − ☐ = 600

573 − ☐ = 500

c) 637 + ☐ = 700

592 − ☐ = 500

946 + ☐ = 1 000

468 − ☐ = 400

2 Rechne in Schritten. Stelle deinen Rechenweg am Rechenstrich dar.
Bei Minusaufgaben kann dir die Umkehraufgabe helfen.

a) 326 + ☐ = 420

326

b) 448 − ☐ = 380

c) ☐ + ☐ = ☐

d) ☐ − ☐ = ☐

3 Berechne die fehlende Zahl. Stelle deinen Rechenweg am Rechenstrich dar.
Bei Minusaufgaben kann dir die Umkehraufgabe helfen.

a) 358 + ☐ = 524

358

b) 936 − ☐ = 658

c) 758 + ☐ = 916

d) 627 − ☐ = 483

e) ☐ + ☐ = ☐

f) ☐ − ☐ = ☐

* übertragen ihre Kenntnisse des stellengerechten Zerlegens und schrittweisen Rechnens auf Platzhalteraufgaben

Sachaufgaben lösen

1 Schreibe zu jeder Aufgabe die Rechnung und die Antwort. Du kannst auch zeichnen.

a) Lisa hat 105 € gespart. Sie möchte ein Waveboard für 67 € kaufen.
Wie viel Geld kann sie von ihren Ersparnissen noch für andere Dinge ausgeben?

Skizze:

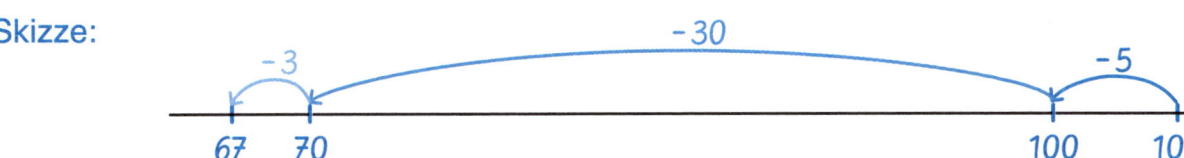

Rechnung: _____

Antwort: _____

_____

_____

b) Tim hat 185 Briefmarken gesammelt. Sein Freund Paul hat 224 Briefmarken.
Wie viele Briefmarken hat Paul mehr?

Skizze:

_____

Rechnung: _____

Antwort: _____

_____

_____

c) Im Supermarkt waren in der letzten Woche Müsliriegel ohne
und mit Schokolade im Angebot. Insgesamt wurden 534 Müsliriegel verkauft.
Von den Riegeln ohne Schokolade wurden 178 Stück verkauft.
Wie viele Müsliriegel mit Schokolade wurden verkauft?

Skizze:

_____

Rechnung: _____

Antwort: _____

_____

_____

1 Lisa wohnt mit ihrer Familie seit vier Jahren in dem neuen Baugebiet „Längenholz".
Jedes Jahr werden dort weitere Häuser gebaut und Familien ziehen neu in diesen Ort.

Einwohnerzahlen Längenholz	
Einwohnerzahl	am
625	31.12.2012
783	31.12.2013
897	31.12.2014
981	31.12.2015

a) Berechne, wie viele Einwohner
in jedem Jahr neu zugezogen sind.

b) Vergleiche die Zahlen. In welchem Jahr sind die meisten
Personen zugezogen, in welchem Jahr die wenigsten?

c) Rechne und stelle selbst Vergleiche zwischen
verschiedenen Jahren auf. Schreibe so in dein Heft:
Im Jahr … sind ▮ mehr/sind ▮ weniger
Personen zugezogen als im Jahr …

> Seite 50 Aufgabe 1
>
> a) 2 0 1 3:
>
>   7 8 3 - 6 2 5 = 1 5 8
>
>   1 5 8 neue Einwohner
>
>   2 0 1 4:
>
>   ⋮
>
> b) ...

2 Erstelle zusammen mit einem anderen Kind zur Entwicklung
der Einwohnerzahlen in Aufgabe **1** ein Plakat mit einem Schaubild.
Ihr könnt auf Millimeterpapier ein Säulendiagramm zeichnen oder
die Zeichen ☐ (= Hunderter), I (= Zehner), . (= Einer) benutzen oder …
Zeigt und erklärt eure Darstellungen in der Klasse.

3 Die Preise vieler Produkte schwanken im Lauf eines Jahres.

	Computer	Skiausrüstung	Gartenhaus
vor Weihnachten	549 €	652 €	650 €
im Frühjahr	549 €	498 €	777 €
als Sonderangebot	498 €	450 €	698 €

a) Überlege gemeinsam mit einem anderen Kind,
wieso das so ist.

b) Schreibt Vergleiche auf.

c) Welche Informationen enthält die Tabelle noch?
Schreibt eure Feststellungen und Rechnungen dazu auf.

d) Überlegt, ob ihr selbst Beispiele für derartige Preisschwankungen kennt.

> Seite 50 Aufgabe 3
>
> b) ...

∗ entnehmen einer Tabelle Informationen
∗ entwickeln, nutzen und bewerten geeignete Darstellungsformen
∗ finden mathematische Lösungen zu Sachsituationen

Geometrische Grundformen entdecken und erkennen

| | Rechteck | | Quadrat | ▲ Dreieck | ● Kreis |

 1 Schau dir gemeinsam mit einem anderen Kind die Gegenstände an.
Besprecht, wo ihr Rechtecke, Quadrate, Dreiecke und Kreise entdeckt.

2 Suche Gegenstände, die die Form von
Rechtecken, Quadraten, Dreiecken und
Kreisen haben. Schreibe oder zeichne sie auf.
Ordne ihnen die passende Form zu.

Seite 51 Aufgabe 2
CD – Kreis
⋮

3 Ordne den Formen die Merkmale zu. Verbinde.

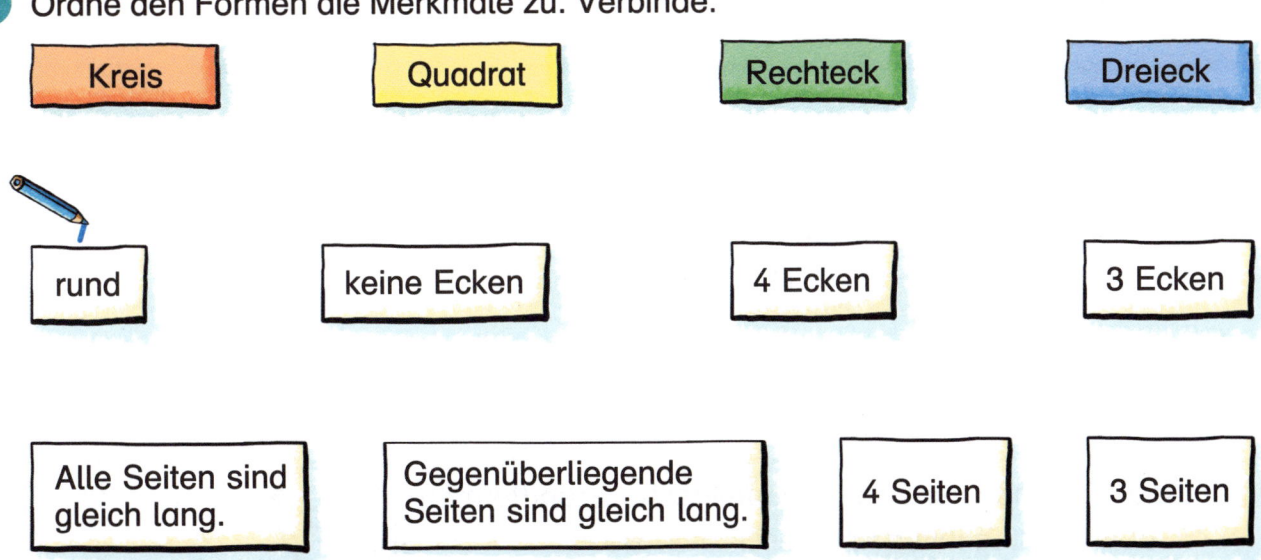

→ Ü Seite 20

★ entnehmen Darstellungen von Alltagsgegenständen relevante Informationen
hinsichtlich ihrer Flächenformen
★ untersuchen die Flächenformen und verwenden Fachbegriffe zu deren Beschreibung

Geometrische Grundformen zeichnen und entdecken

1 Zeichne ohne Lineal auf ein weißes Blatt beliebig große Dreiecke, Rechtecke, Kreise und Quadrate.

2 Zeichne mit dem Lineal folgende Figuren in dein Heft:

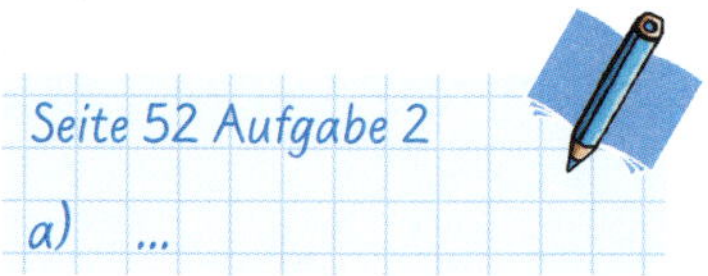

a) ein Quadrat, dessen Seiten 5 Kästchen lang sind

Seite 52 Aufgabe 2
a) ...

b) ein Rechteck, das 8 Kästchen lang und 4 Kästchen breit ist

c) ein Dreieck, dessen Grundseite 6 Kästchen lang ist

d) ein Quadrat mit der Seitenlänge 3 cm

e) ein Rechteck, das 5 cm lang und 2 cm breit ist

f) ein symmetrisches Dreieck, dessen Grundseite 4 cm lang ist

3 Zeichne im Heft Figuren nach folgenden Vorschriften:

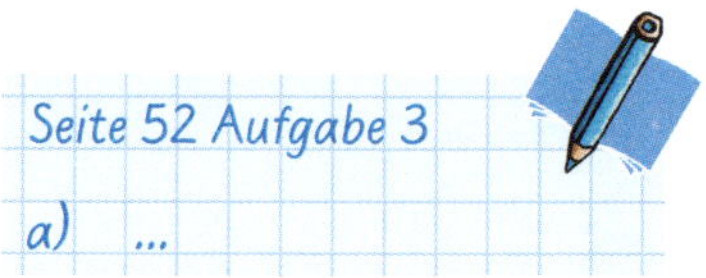

a) ein Quadrat mit der Seitenlänge 4 cm. Es wird durch zwei Symmetrieachsen in 4 kleine Quadrate geteilt.

Seite 52 Aufgabe 3
a) ...

b) ein Quadrat mit der Seitenlänge 6 cm. Es wird durch zwei Symmetrieachsen in 4 Dreiecke geteilt.

c) ein Rechteck, das 8 cm lang und 4 cm breit ist. Es wird durch eine Symmetrieachse in 2 Quadrate geteilt.

4 Notiere zu jeder Figur die Grundformen (Kreis, Dreieck, Quadrat, Rechteck), die du entdeckst.

a) 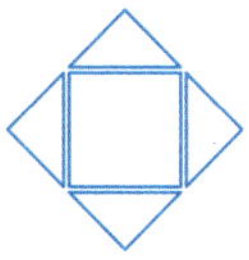 **Quadrat, Dreieck**

b)

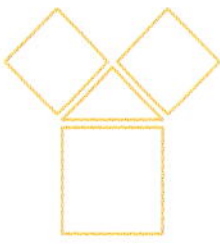

c)

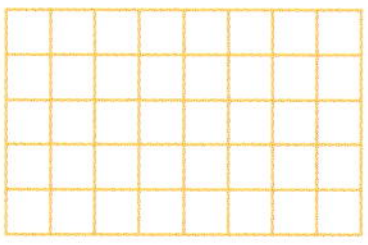

d)

5 Schreibe auf, wie viele Quadrate und Dreiecke du in jeder Figur findest. Besprich deine Ergebnisse mit einem anderen Kind.

a)  □ 1   △ 8

b)

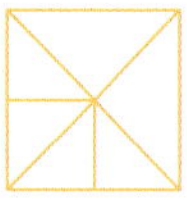

c)

d)

6 Zeichne mindestens zwei geometrische Grundformen in dein Lerntagebuch und beschreibe sie.

★ zeichnen Flächenformen mit Hilfsmitteln und berücksichtigen dabei die Eigenschaften der Flächenformen
★ entdecken Flächenformen in komplexeren Darstellungen

Geometrische Grundformen in der Kunst entdecken

Ilja Grigorjewitsch Tschaschnik:
Suprematische Komposition

Wassily Kandinsky:
Mit dem Dreieck

 1 Betrachte die Kunstbilder gemeinsam mit einem anderen Kind.
Besprecht zu jedem Bild, welche geometrischen Formen ihr entdeckt.

2 Wähle ein Bild aus und zeichne einen Ausschnitt daraus ab.

3 Gestalte selbst ein kunstvolles Gemälde aus geometrischen Formen.
Du kannst dir Gegenstände suchen, die du als Schablonen verwenden
kannst, oder Formenplättchen aus Pappe umfahren. Mit farbigem
Transparentpapier kannst du selbst ein tolles Kunstwerk schaffen.

Ich bin auch ein Künstler.

★ verwenden bei der Beschreibung von Kunstbildern mathematische Fachbegriffe
★ gehen kreativ mit geometrischen Figuren um

53

1 Lege die dargestellten Figuren mit Streichhölzern oder Zahnstochern nach. Verändere die Figuren nach Vorschrift und zeichne dein Ergebnis ins Heft.

a) Lege zwei Hölzchen so um, dass du vier Dreiecke erhältst.

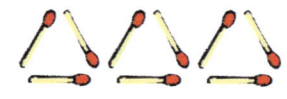

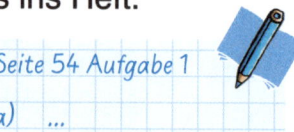

b) Entferne zwei Hölzchen so, dass drei kleine Dreiecke übrig bleiben.

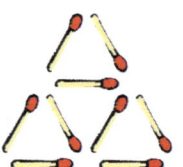

c) Nimm vier Hölzchen so weg, dass ein großes Quadrat und vier kleine Quadrate übrig bleiben.

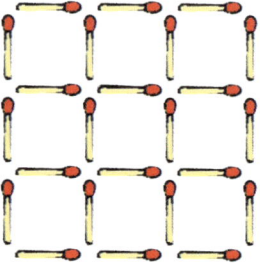

d) Lege zwei Hölzchen so um, dass aus den Rechtecken sechs Quadrate entstehen.

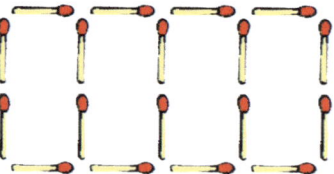

e) Vergleiche deine Ergebnisse mit denen eines anderen Kindes.

2 Arbeite gemeinsam mit einem Partnerkind. Legt die Figuren nach. Setzt die Reihe fort.

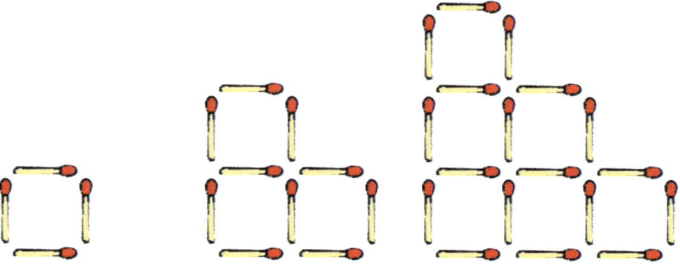

1 Quadrat   3 Quadrate   6 Quadrate

1, 3, 6, 10, …
Diese Zahlen nennt man Dreieckszahlen. Vor ungefähr 200 Jahren hat sie der Mathematiker Carl Friedrich Gauß entdeckt.

a) Aus wie vielen kleinen Quadraten besteht …

… die nächste Figur? _____

… die übernächste Figur? _____

b) Schreibt die Anzahl der kleinen Quadrate als Zahlenreihe auf.

c) Findet ihr die Rechenregel, mit der ihr die Anzahl der kleinen Quadrate bei der 6. Figur bestimmen könnt?

* verändern durch Umlegen ebene Figuren nach Vorgaben
* erkennen, beschreiben und begründen die Struktur einer Figurenreihe

1 Flächeninhalte mithilfe von Kästchen bestimmen

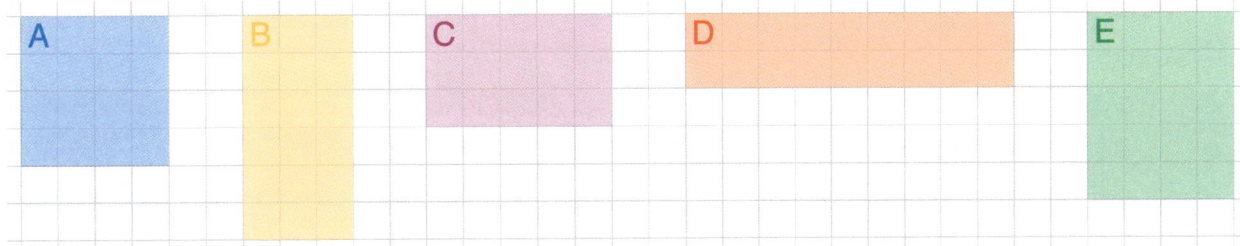

a) Schätze, welche Figur die größte Fläche hat. Ich schätze Figur ___.

b) Ermittle die Größe der Fläche für jede Figur.
Bestimme dazu die Anzahl der ausgemalten Kästchen.

A: ☐ Kästchen   B: ☐ Kästchen   C: ☐ Kästchen

D: ☐ Kästchen   E: ☐ Kästchen

2 Bestimme, wie viele Kästchen in die Flächen passen.
Vergleiche und besprich deine Lösungen mit einem anderen Kind.

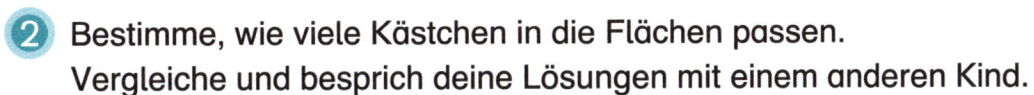

☐ Kästchen   ☐ Kästchen   ☐ Kästchen   ☐ Kästchen   ☐ Kästchen

3 Bestimme für jede Figur den Flächeninhalt über die Anzahl der Kästchen.
Du kannst die Figuren zerlegen und
dann wie in Aufgabe **1** berechnen.

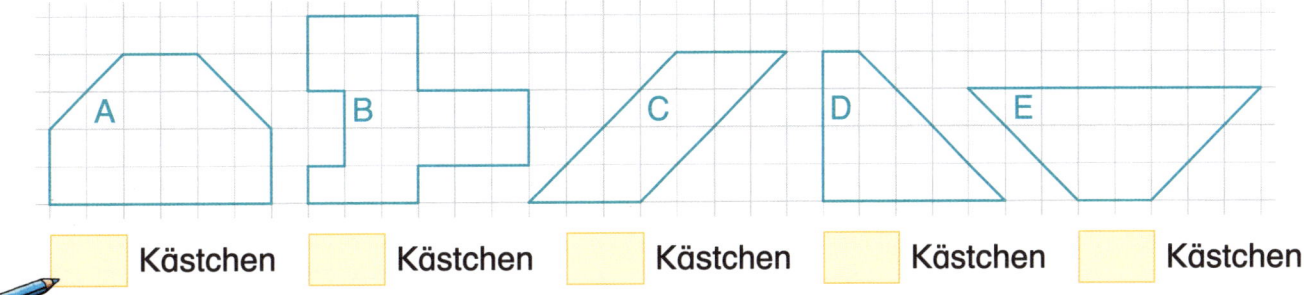

Aus einer Fläche mache ich drei.

$3 \cdot 10 + 3 \cdot 5 + 2 \cdot 3$

☐ Kästchen   ☐ Kästchen

☐ Kästchen   ☐ Kästchen

★ schätzen und bestimmen den Flächeninhalt von Rechtecken und Quadraten
★ bestimmen den Flächeninhalt durch Zerlegen in Teilstücke

55

1 Immer zwei Figuren haben den gleichen Flächeninhalt.
Male sie in der gleichen Farbe aus.

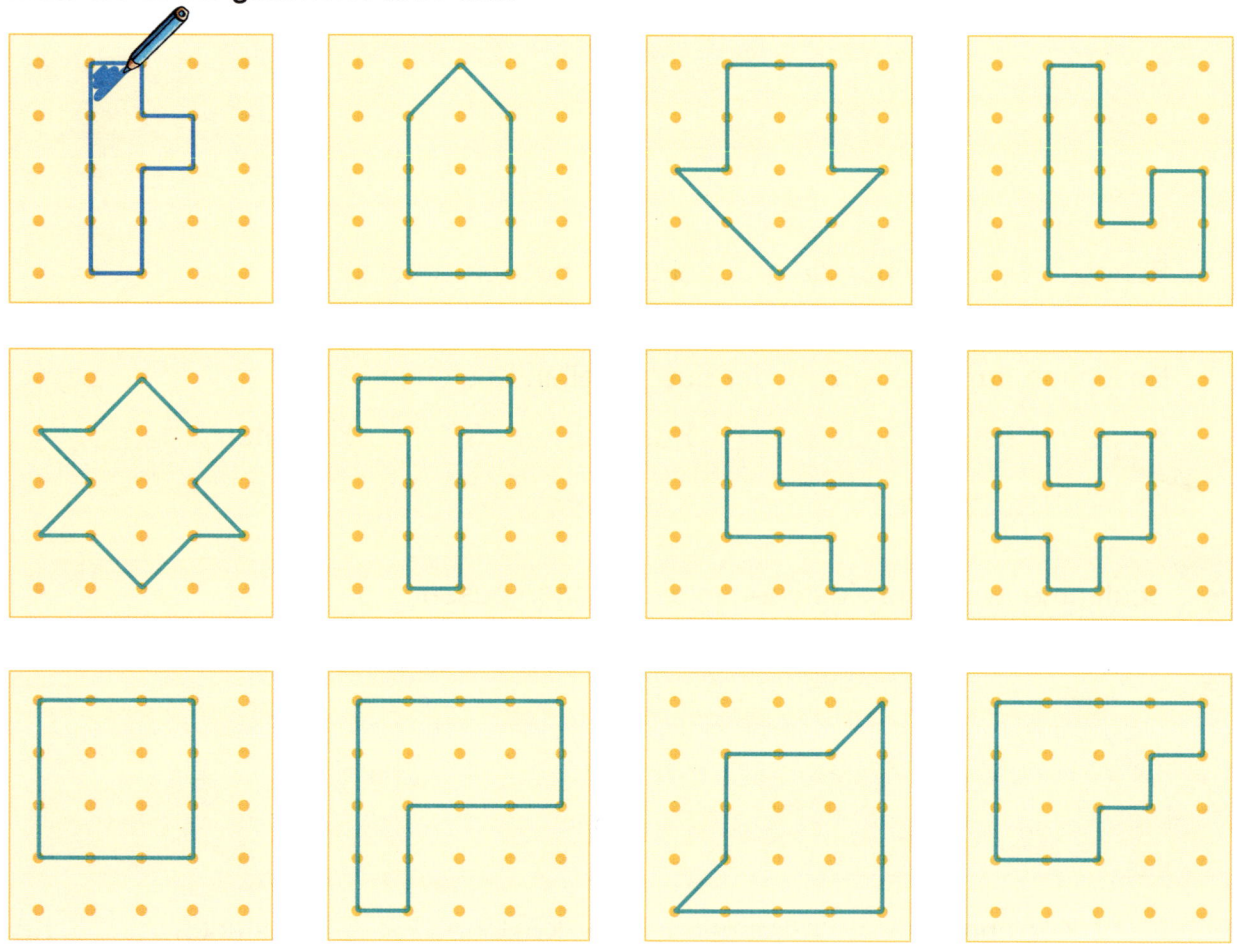

2 Finde ohne Abzählen der Kästchen jeweils
die beiden Figuren mit der gleich großen Fläche.

a Verbinde.

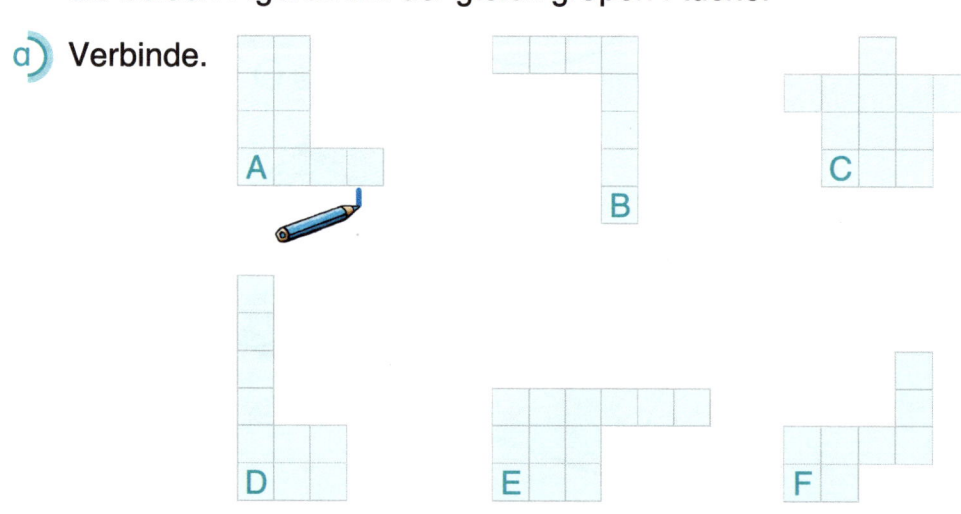

b Beschreibe deine Überlegungen einem anderen Kind.

★ übertragen ihre Vorgehensweise bei der Flächenbestimmung
auf den Vergleich von dargestellten Flächen
★ beschreiben ihre Vorgehensweise bei Flächenvergleichen

→ Ü Seite 21

Figuren mit gleichem Flächeninhalt erkennen und zeichnen

1 Ergänze jeweils drei weitere Figuren mit gleich großem Flächeninhalt.

a)
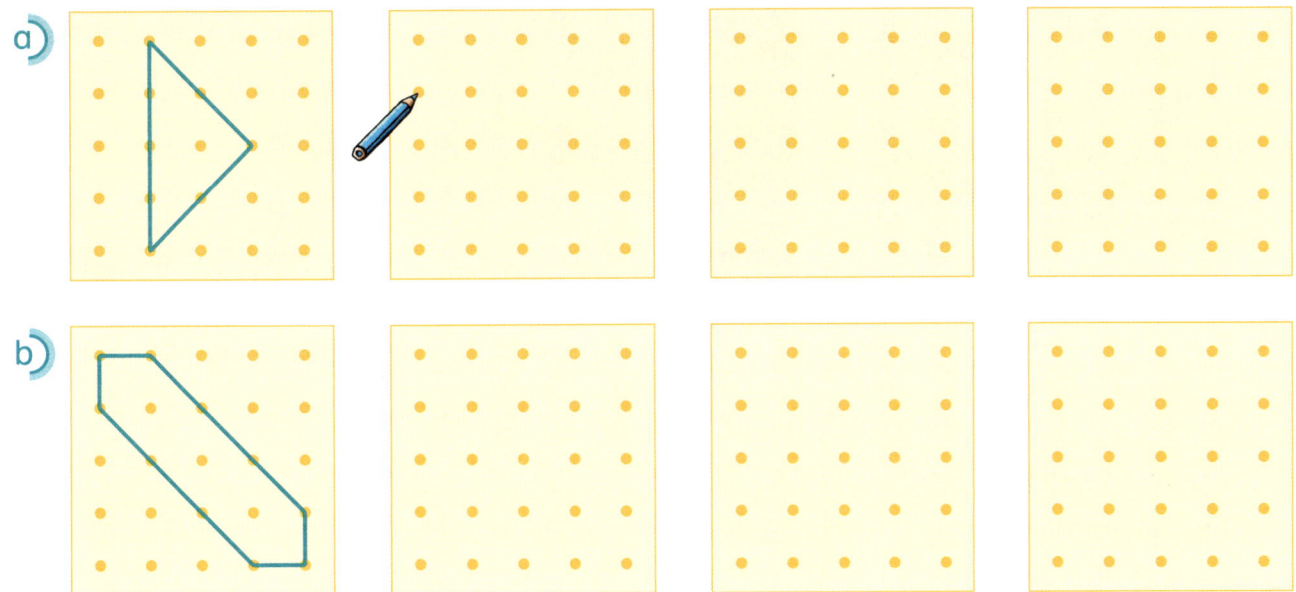

b)

2 Zeichne verschiedene Quadrate ein und male sie aus.
Es gibt Quadrate mit gleich großen und unterschiedlich großen Flächen.

Umkreise die Quadrate mit gleich großen Flächen jeweils in der gleichen Farbe.

3 Zeichne jeweils weitere Figuren mit gleichem Flächeninhalt.

a)

b)

c)

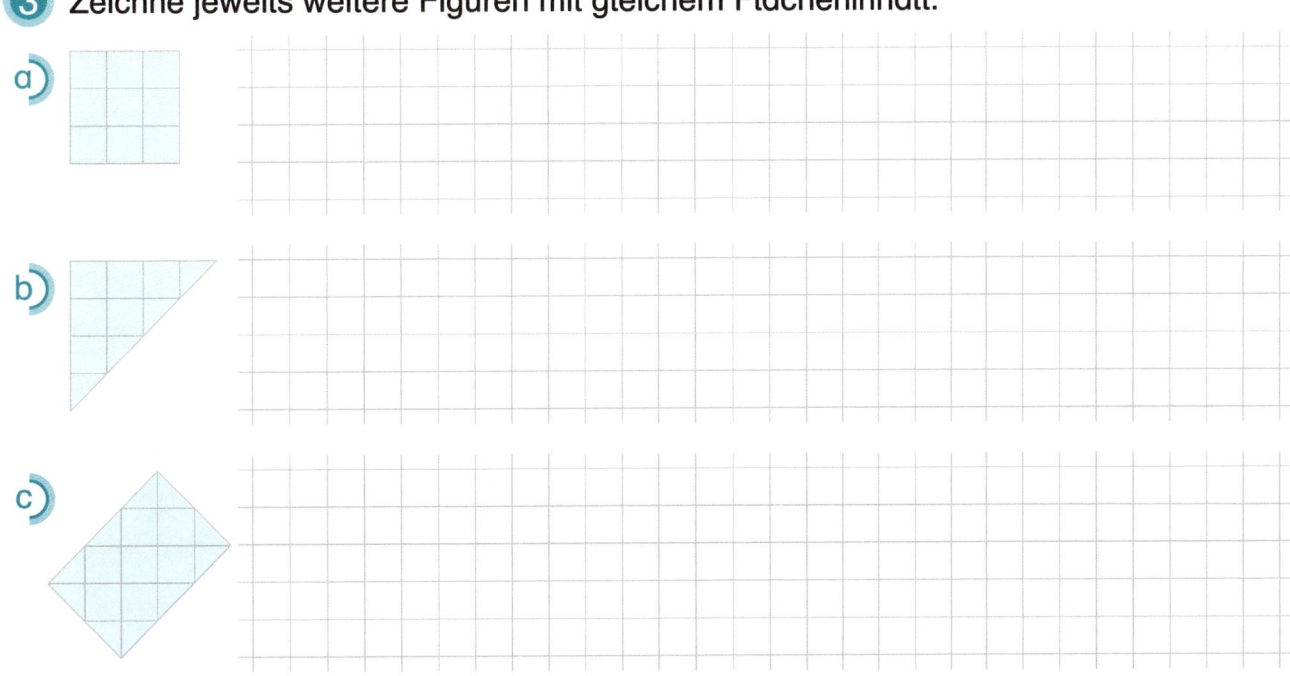

★ nutzen ihre Vorgehensweise bei der Flächenbestimmung
zum Erstellen von Figuren mit gleichem Flächeninhalt

Ornamente gestalten

Betrachte die Muster. Überlege, ob und wo du solche Ornamente schon einmal gesehen hast.

2 Auch mit solchen Flächenformen kann man Ornamente gestalten:

Quadrat   Dreieck   Sechseck   Achteck

Seite 58 Aufgabe 2

a)   ...

a) Suche mindestens ein Ornament aus.
Zeichne es ab und setze es nach rechts und unten fort.
Du kannst es auch farbig gestalten.

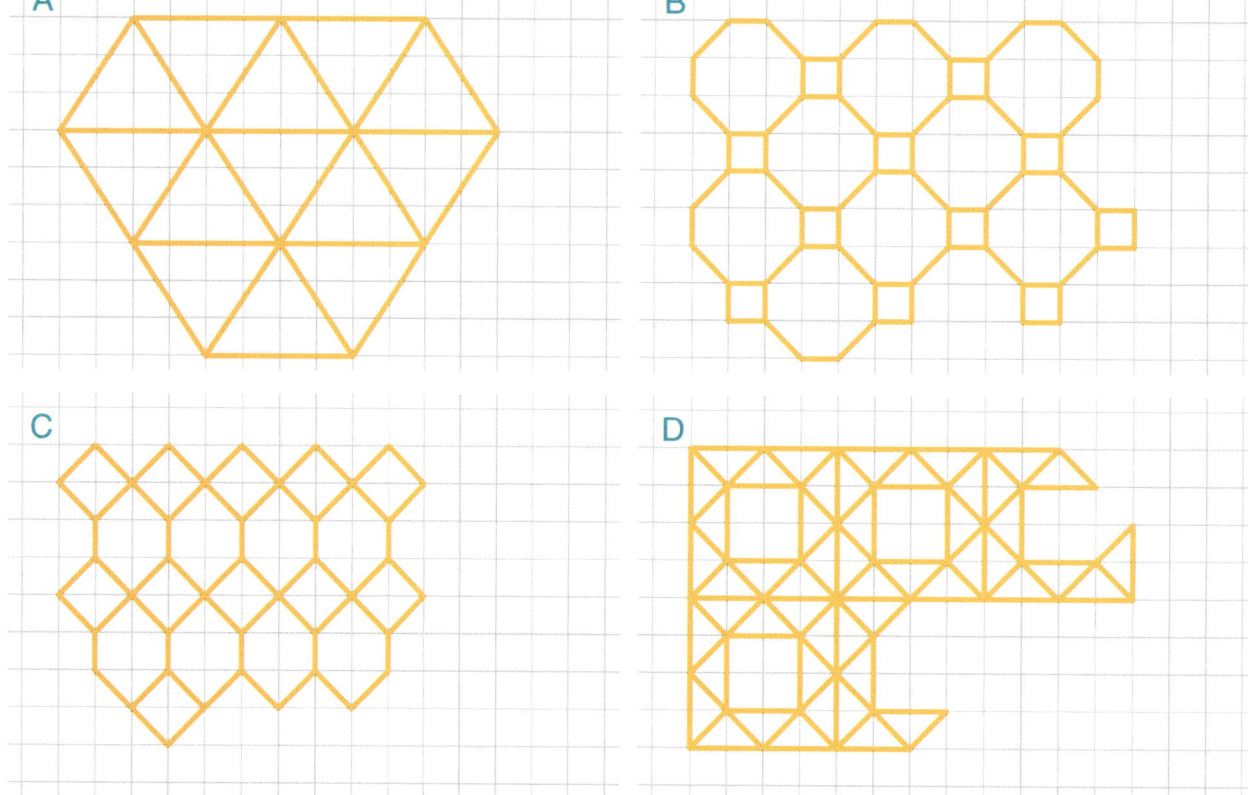

A

B

C

D

 b) Gestalte selbst ein Ornament, das ein anderes Kind fortsetzen kann.

★ übertragen Ornamente und setzen sie fort
★ gestalten eigene Muster und Ornamente

Ornamente fortsetzen

1 Setze die Ornamente nach allen Seiten fort.
Du kannst die fertigen Muster anmalen.

Fische!

1 Suche dir ein anderes Kind. Beschreibt euch gegenseitig das Ornament.
Welche Begriffe könnt ihr dafür nutzen?

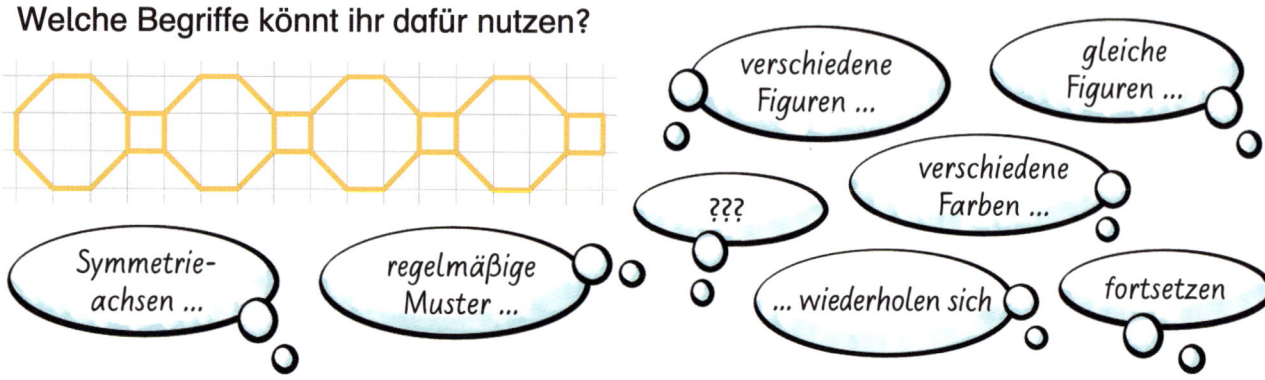

verschiedene Figuren ...

gleiche Figuren ...

???

verschiedene Farben ...

Symmetrie-achsen ...

regelmäßige Muster ...

... wiederholen sich

fortsetzen

2

a) Setze das Muster so fort, dass daraus ein Bandornament wird.

b) Verändere das Muster aus Aufgabe a). Es soll ein Bandornament bleiben.

c) Begründe einem anderen Kind, warum das Muster
auch nach deiner Veränderung ein Bandornament ist.

3 Besprich mit einem anderen Kind, welche der
beiden Figuren ein Bandornament ist und warum.

A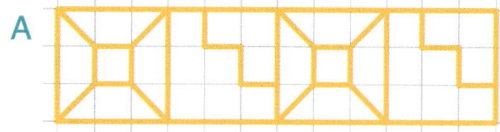

B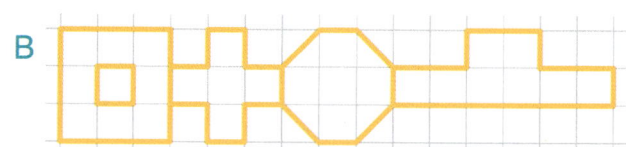

| 90 + 60 − 80 | 150 − 60 + 30 − 70 | 60 + 50 − 30 + 40 − 60 |

 50 70  60

 * bestimmen und erklären Gesetzmäßigkeiten in Bandornamenten,
verändern diese oder setzen sie fort